# Marché Conclu

# Marché Conclu

Kay Heppell, Nicole Roberts and Edith Rose

HODDER AND STOUGHTON
LONDON  SYDNEY  AUCKLAND  TORONTO

# Acknowledgements

We would like to thank William Bartlett & Son Ltd. of High Wycombe, Bucks for their invaluable co-operation and help in the production of this course. We wish to stress that, whilst the material is intended to be as realistic as possible, we do not claim to represent the specific trading practices and policies of William Bartlett & Son Ltd.

We are grateful to the following for their help and permission to reproduce copyright material: M. et Mme P. Y. Godey (for their photographs); Perfarap Ltd. High Wycombe Bucks; Polyvend Ltd. Witney, Oxon; Salon des Arts Ménagers de Paris; Roussel Laboratories Ltd., Uxbridge, Middlesex; Ercol, High Wycombe; Le Drouot, Paris.

We would also like to express our thanks to past students and businessmen for acting as guinea-pigs to our experiences in teaching; to the PICKUP programme for the impetus it brought to the development of our ideas; to our colleagues at the Buckinghamshire College of Higher Education who have supported our incessant questions and demands; to our all-understanding secretaries, Rose-Marie Free and Jill Rose, and finally to our families for reasons that only they can say.

*A la mémoire de nos pères*

© 1988 Kay Heppell, Nicole Roberts and Edith Rose

First published in Great Britain 1988

*British Cataloguing in Publication Data*

Heppell, Kay
  Marché conclu.
  1. French language —— Texbooks for
  foreign speakers —— English
  I. Title  II. Roberts, Nicole   III. Rose,
  Edith
  448    PC2112

  ISBN 0-340-41783-8

Phototypeset by Gecko Limited, Bicester, Oxon

Printed and bound in Great Britain for Hodder and Stoughton Educational,
a division of Hodder and Stoughton Limited, Mill Road, Dunton Green, Sevenoaks, Kent,
by Butler & Tanner Ltd, Frome and London

# Contents

# Introduction

The foreign language learning field has in recent years changed quite rapidly in Britain with not only the introduction of new teaching and learning techniques but also with new orientations of subject matter. One of the important changes in attitudes to learning foreign languages has been the increasing recognition of the value of a business-related foreign language curriculum, not only for students in secondary and higher education but for practising businessmen as well. All too often traditional 'school French' has acted as an excuse for incompetence in foreign languages for the British businessman abroad and to meet this need for foreign language training, it is now quite common to find in colleges, polytechnics and universities a variety of foreign language programmes with a specific business orientation.

It is our experience, however, that despite a number of books and materials on the market for French, in many ways the material resources for this new orientation in language learning are still very narrow. This text and associated cassette material are a modest attempt to broaden the base of such resources. We hope that they will find a use in a number of vocationally oriented teaching programmes in French for specific tutoring: adult education classes; businessmen; more traditional Higher National Diploma and degree students of business and management who take an option in French; courses for the training of bilingual secretaries and the associated RSA examinations; travel and tourism courses, and indeed, anywhere where a person with basic 'school French' (i.e. a basic 'O' level standard) wants to improve his communication skills in French in a specific business context.

The approach adopted in the text and cassette of *Marché Conclu* is one which we have developed over a number of years in running and teaching both short and long programmes of foreign language training in the specific field of export marketing. In particular we believe that there is a set of specific basic skills in a foreign language which many exporters lack and which many current foreign language learning resources fail to provide. Our ideas here are not original, nor particularly unobvious, but we have tried to incorporate them as a thread through the text. The three key points here then are:

*(1) French and Export*
A specific feature of this course is its orientation to the field of import-export business negotiations in French. We have attempted to outline most of the basic situations in which a British businessman or woman would find him or herself in dealing with a French customer, and in particular have used examples drawn from the authors' own practical experiences in English and French speaking companies.

*(2) Oral/Aural Skills*
It is a truism that traditional teaching in French, both in school and in higher education, has in the past concentrated on written skills in translation at the expense of other linguistic skills. We have recognised the inadequacy of this approach by making the lead vehicle for each chapter of text the notion of a

spoken dialogue: this key material then forms the base for grammatical and practice exercises, role plays, comprehension questions and student tasks. The thrust throughout is on the students' acquisition of oral/aural skills and their practice. It is for that reason that the accompanying cassette is an integral element of the programme and students are advised to treat it as a resource as important as the written text itself.

*(3) Self-teaching*
We recognise that for many businessmen time is sometimes too precious for them to commit themselves to a standard language course in the evening or even in-company over a period of time in order to develop their language skills. We have tried to recognise this by providing a programme which we hope will allow those under pressure of time to use the materials as flexibly as possible and to provide much practice in the use of French in business situations for the solitary learner. Of course, tutorial help and practice with other people is vital in true language learning but we have tried to recognise practical reality and the growing importance of distance-learning.

## Content

The programme consists of eight main business/export situations consisting of eleven separate dialogues, all recorded on cassette. Each dialogue takes the businessman a stage further in his progress, from simple activities like handling airport and hotel bookings to some quite complicated negotiation sessions, towards finally clinching the deal.

Around each dialogue is structured a vocabulary list, again specifically related to the business/export context and including key words used in the situations, together with a set of exercises/questions which consists of the following:

* Comprehension questions in French on the dialogues

* Re-translation exercises

* Practice exercises on points of grammar and use of expressions

* Role play development in French stemming from the dialogues

* Students tasks and assignments.

All French elements of each dialogue are recorded on the accompanying cassette.

# Units

# List of situations

# Synopsis

Mr Alan Reynolds is the Sales Director of William Bartlett & Son Ltd., a furniture manufacturer of High Wycombe in Buckinghamshire. His firm has reached its target sales in the UK and is now intending to go into the export market. It has recently taken over another furniture manufacturing company in the same town and plans to use this excess capacity for export purposes. A market survey carried out on behalf of William Bartlett & Son Ltd. has shown that France could be a possible target area.

At the suggestion of Tissurama, one of the Bartlett's French suppliers of fabrics, Mr Reynolds telephones Madame Gaspart, Purchasing Director of Meublat S.A., a chain of French stores specialising in the sale of period furniture. A meeting is arranged to take place in Meublat's head office in Paris between Mr Reynolds and Madame Gaspart.

During this meeting, Mr Reynolds explains to Madame Gaspart that William Bartlett wish to find an agent or distributor in the Paris area and gives details of his company and its products. Madame Gaspart expresses an initial interest in becoming a distributor for William Bartlett and decides to visit High Wycombe to see the company for herself.

After this visit to High Wycombe, Mr Reynolds returns to Paris where, following a pleasant business lunch, he clinches the deal with Madame Gaspart.

William Bartlett's
# STRONGBOW
# MAHOGANY
# COLLECTION
## 1987

# THE STRONGBOW
# MAHOGANY COLLECTION
## Five generations of hand-crafted furniture

For more than 120 years Bartletts have been making traditional furniture in the contemporary style and today they still buy their timber in the log, cut, season, kiln and process it through to the finished article in their factory at High Wycombe, combining the best of modern methods with the use of skilled craftsmen.

The 18th century and Regency periods are known as 'The Golden Age of English Furniture'. We like to think Strongbow furniture is bringing to 20th century homes the elegance of those great eras plus the benefits of today's manufacturing techniques.

It is not possible in this broadsheet to give detailed specifications of our furniture but we still use solid timber to a considerable extent, mostly Mahogany or West African Hardwoods. Where veneers are used for decorative purposes, they are 'Real Wood Veneers' cut from specially selected logs of mahogany and yew.

Choosing furniture should be an unhurried task. Remember, you have to live with it for a long time! Faced with your final choice ask yourself: 'Will it still be pleasing to the eye, five, ten, fifteen years from now? Choose Strongbow Furniture and you can be sure of it! Here is furniture with individuality and charm which will stand the test of time and can be collected over the years.

There is a display in our factory showroom at High Wycombe and visitors are always welcome on Monday to Friday from 9am to 4pm but if calling on a Saturday morning, please telephone beforehand.

Orders cannot be placed with us — they must be placed through an appointed Furnisher who stocks Strongbow furniture and on request we will send the names of the stockists in your area.

**COVERS:** We have a fairly wide range of covers carefully selected as being suitable for our dining chairs. Our Stockists have pattern books and will be pleased to advise you on selection and if necessary they will obtain small cuttings from us for you to match with other fabrics in your room.

We are also pleased to use customers' own covers if required and stockists have details of the yardage required and prices when using the customer's cover.

**SKIVERS:** These are natural products and each will have individual markings thus showing evidence of their origin. These features are part of the beauty of the animal skin and distinguish them from substitutes. Colours available are Green, Gold and Red, with an antiqued finish and real gold tooling.

**COLOURS OF POLISH AND DETAILS OF FINISH:** For many years we and the makers of materials used in the polishing of wood have searched for one which will produce a finish that is heat-resistant, has the appearance of a first-class hand-finish and retains all the beauty and variation of the natural grain in wood. With the introduction of catalysed finishes specially formulated for polishing our traditional furniture, we now have such a material with stains, fillers and matching colours blended for compatibility . . . the initial staining, filling and rubbing down is still done by hand. The coatings are applied by spray and in between these coatings there is a lot of hand work to ensure a quality finish.

To preserve and enhance the finish all that is necessary is daily dusting with a soft dry duster. It is advisable to work the same way as the grain of the wood and make sure there are no fine hard particles in the dusters used or on the surface before rubbing. An occasional wipe over with a damp chamois leather dipped in warm water with a teaspoonful of vinegar added to about a pint of water will remove grease marks. Dry thoroughly with clean soft duster. It is the daily dusting with clean dry soft dusters that gradually hardens off the polish.

Remember, however, that although the finish is within reason heat-resistant and impervious to most liquids, it is still possible, unless proper care is used, to bruise and dent the wood and scratch the polished surface.

# LA BOUTIQUE
## Meublat

des meubles qui vous vont bien

45 ans d'expérience
dans le meuble de style et la copie
d'ancien de qualité

# Tâches préliminaires

### Task 1

William Bartlett Ltd. have heard from their supplier of materials in Lyon, la Société Tissurama, that the furniture store 'Meublat' is looking for a supplier of English Reproduction furniture.

You are Monsieur Julien from Tissurama.

You phone Mr Reynolds, the Sales Director of William Bartlett, to tell him about Meublat. Find out about 'Meublat' by studying the advertisement on page 5. Insist on the following: type of store, its size, its location, type of product, style, quality, etc.

### Task 2

William Bartlett Ltd. have received an inquiry from France. You are asked to make a summary in French of the details on page 4 under the following headings:

—the company (its creation, location);
—the product (style, wood, manufacturing process);
—the showroom;
—the covers;
—the suppliers;
—how to order.

### Vocabulary

*reproduction furniture,*   un meuble de style
*to process,*   transformer
*to season,*   conditionner (le bois)
*to kiln,*   sécher
*craftsman,*   un artisan
*solid timber,*   bois massif
*factory,*   une usine
*display,*   une exposition
*showroom,*   une salle d'exposition
*to place an order,*   passer une commande
*on request,*   sur demande
*mahogany,*   acajou
*veneer,*   le bois de placage
*an appointed furnisher,*   un marchand de meubles agréé
*stockist,*   un stockiste
*a range,*   une gamme
*a pattern/a sample,*   un échantillon

# UNIT 1

## Prise de rendez-vous d'Angleterre

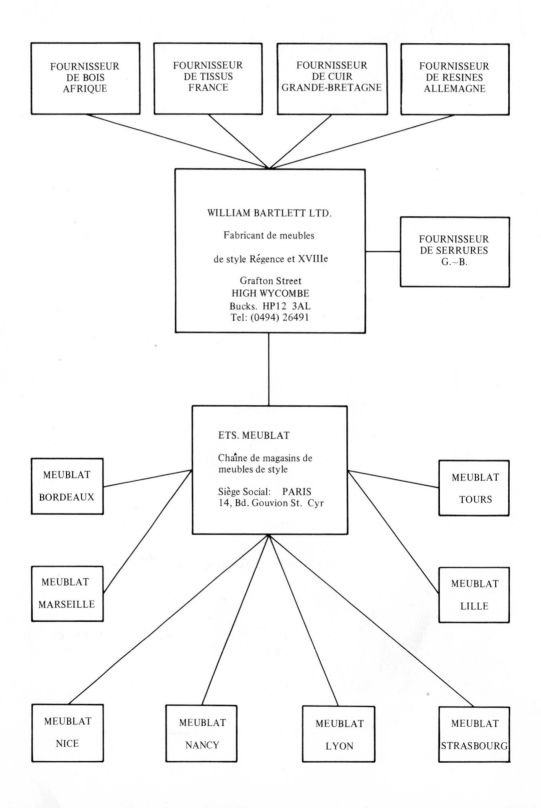

**Mr Reynolds** —(*compose le numéro*) 010–33–14–57–20–662

**Réceptionniste**—La Société Meublat, j'écoute.

**Mr Reynolds** —Bonjour Mademoiselle. Est-ce que je pourrais parler au directeur des achats s'il vous plaît?

**Réceptionniste**—C'est de la part de qui?

**Mr Reynolds** —M. Reynolds, de la société William Bartlett de Grande-Bretagne.

**Réceptionniste**—Excusez-moi. J'entends mal. Pourriez-vous épeler votre nom?

**Mr Reynolds** —C'est donc M. Reynolds R-e-y-n-o-l-d-s de la société William Bartlett W-i-l-l-i-a-m B-a-r-t-l-e-t-t.

**Réceptionniste**—Vous avez dit de Grande-Bretagne, n'est-ce pas?

**Mr Reynolds** —Oui, c'est ça.

**Réceptionniste**—Ne quittez pas. Je vous passe sa secrétaire.

**Secrétaire** —Allo. Ici la secrétaire de Mme Gaspart, directrice des achats. Mme Gaspart n'est pas là en ce moment. Est-ce que vous voulez laisser un message?

**Mr Reynolds** —Votre maison m'a été recommandée par la société Tissurama avec laquelle nous travaillons. On m'a dit que votre compagnie était à la recherche d'un fournisseur de meubles anglais. Il se trouve que notre maison se spécialise dans ce type de produit et comme je compte venir en France la semaine prochaine, je me demandais s'il ne serait pas possible de rencontrer Mme Gaspart.

**Secrétaire** —Attendez, je vais consulter son agenda. Elle n'a rien de prévu le jeudi 8 juin à onze heures. Est-ce que ça vous convient?

**Mr Reynolds** —Oui, je serai libre à cette heure-là, en fait ce sera mon dernier rendez-vous.

**Secrétaire** —Donc, disons le jeudi 8 juin à onze heures. Je vais en parler avec Mme Gaspart à son retour. On vous confirmera par télex. A ce propos, est-ce que vous pourriez me donner vos coordonnées, s'il vous plaît?

**Mr Reynolds** —Ça risque d'être un peu trop compliqué. Je vous envoie aujourd'hui même un télex avec notre nom, adresse, numéro de téléphone et télex.

**Secrétaire** —C'est parfait, d'autant plus que j'ai des difficultés avec les noms étrangers.

**Mr Reynolds** —Je vous remercie Mademoiselle, au revoir.

**Secrétaire** —Au revoir.

### *Vocabulaire*

un rendez-vous, *an appointment*
prendre, fixer un rendez-vous, *to make an appointment*
reporter un rendez-vous, *to postpone, put off an appointment*
annuler un rendez-vous, *to cancel an appointment*
téléphoner à quelqu'un, *to phone someone*
appeler quelqu'un, *to call someone*
passer un coup de téléphone ou un coup de fil, *to give (someone) a ring*
un appel téléphonique, *a phone call*
un coup de fil, de téléphone, *a ring*
un poste, *an extension*
décrocher (le combiné), *to pick up the phone*
raccrocher (le combiné), *to put the phone down, hang up*
composer un numéro, *to dial a number*
Qui est à l'appareil? *Who's speaking?*
M. Durand à l'appareil, *Mr Durand speaking*
C'est de la part de qui? *Who's calling?*
Ne quittez pas, *Hold the line please*
Je vous passe M. Durand, *I'm putting you through to M. Durand*
J'entends mal, *I can't hear properly*
Pourriez-vous répéter s.v.p.? *Could you repeat that please?*
Pourriez-vous épeler s.v.p.? *Could you spell that please?*
On vous demande au téléphone, *You are wanted on the phone*
un agenda, *a diary*
consulter un agenda, *to check in a diary*
être libre, disponible, *to be free, available*
être pris, occupé, *to be busy*
avoir quelque chose de prévu, *to have something arranged*
confirmer, *to confirm*
une confirmation, *a confirmation*
les coordonnées: nom, prénom, adresse, no. de téléphone, *details: name, first name, address, telephone number*
expédier un télex, *to send a telex*
le directeur, la directrice des achats, *purchasing director*
le P.D.G. (Président-Directeur-Général), *Managing Director (M.D.)*
une société, une compagnie, *a company*
une firme, *a firm*
S.A.: Société Anonyme, *limited company*
S.A.R.L.: Société à Responsabilité Limitée, *limited liability company*
se spécialiser dans, *to specialise in*
la fabrication, *the manufacture*
fabriquer, *to manufacture*
la production, *the production*
produire, *to produce*
la vente, *the sale*
un meuble, *a piece of furniture*
un produit, *a product*

une marchandise,  *a commodity*
les marchandises,  *goods*
un fournisseur,  *a supplier*
fournir,  *to supply*
se fournir en quelque chose,  *to get supplies of*
rencontrer,  *to meet*
d'autant plus que,  *the more so . . . because*
compter faire quelque chose,  *to intend to do something*

### *Exercise 1:* Avez-vous bien compris?
### Essayez de répondre aux questions suivantes:

1  Qui téléphone à la Société Meublat?

2  A qui M. Reynolds voudrait-il parler?

3  Qu'est-ce que M. Reynolds est obligé de faire pour aider la réceptionniste?

4  A qui M. Reynolds finit-il par parler? Pourquoi?

5  Comment M. Reynolds a-t-il entendu parler de la Maison Meublat?

6  Quel est l'objet de son appel téléphonique?

7  Quand compte-t-il venir en France?

8  Pourquoi la secrétaire consulte-t-elle l'agenda de Mme Gaspart?

9  Quelle heure et quelle date propose-t-elle?

10  Est-ce que ça convient à M. Reynolds?

11  Qu'est-ce que la secrétaire demande à M. Reynolds?

12  Comment la secrétaire va-t-elle confirmer le rendez-vous?

### *Exercise 2:*  Comment diriez-vous en français?

1  Could I speak to the Managing Director please?

2  Who is calling?

3  Could you please spell your name?

4  Hold on. I am putting you through to his secretary.

5  I was told that you are looking for a supplier of English furniture.

6  I intend to come to France next week.

7  I must check her diary.

8  Does this date suit you?

9  She is free all day on Tuesday.

10  I'll confirm by telex.

### *Exercise 3:* Practise – Pourriez-vous. . .?

**Example**
*I say:*                                                    *You say:*
je voudrais qu'elle parle plus fort.                       Pourriez-vous parler plus fort?

—Je voudrais qu'elle épelle son nom.

—Je voudrais qu'il confirme par télex.

—Je voudrais qu'elle donne ses coordonnées.

—Je voudrais qu'il vienne la semaine prochaine.

—Je voudrais qu'il nous fournisse en meubles.

—Je voudrais qu'il contacte le P.D.G.

### *Exercise 4:* Practise – Dates, Times

**Whatever the day, week, month, say you'll do whatever is required a week, a day, a month later.**

**Example**
*I say:*                                                    *You say:*
Vous arriverez le lundi 4.                                 Non, j'arriverai le mardi 5.

—Vous partirez le jeudi 8.

—Vous viendrez au mois de juin.

—Vous resterez jusqu'à samedi.

—Vous arriverez à 10h du soir.

—Vous rencontrerez le P.D.G. mercredi prochain.

—Vous irez en France à la fin de cette semaine.

—Vous m'appellerez demain matin.

—Vous m'enverrez vos brochures au mois de janvier.

### *Exercise 5:* Practise – Excusez-moi de . .

**Example**
*I say:*                                                    *You say:*
Vous parlez trop vite.                                     Oui, excusez-moi de parler trop vite.

—Vous êtes en retard

—Vous me dérangez

—Vous me faites attendre

—Vous m'interrompez

—Vous me faites répéter

—Vous me faites perdre mon temps.

### *Exercise 6:* Practise – Comptez faire

**Example**

| *I say:* | *You say:* |
| --- | --- |
| Vous sortirez ce soir? | Oui, je compte sortir ce soir. |

—Vous allez téléphoner au P.D.G.?

—Vous allez travailler tard ce soir?

—Vous irez en France la semaine prochaine?

—Vous allez voir votre fournisseur?

—Vous allez voyager par avion?

—Vous allez rentrer de bonne heure?

—Vous allez exporter en France?

—Vous allez vous renseigner?

—Vous n'allez pas annuler le rendez-vous?

—Vous n'allez pas refuser l'invitation?

—Vous n'allez pas aller au salon de l'auto?

## Tasks

### *Task 1:* Dialogue – Maintenant, à vous de jouer!
You have to visit the purchasing department of Les Galeries Lafayette in Paris. Monsieur MERCIER is the Purchasing Manager. Ring him to propose a date for your visit. Use your own name.

**Standardiste**—Les Galeries Lafayette, j'écoute.

*(Say who you are and whom you want to talk to)*

**Standardiste**—Ne quittez pas.

**M. Mercier** —Oui, Mercier!

*(Repeat who you are and where you are ringing from)*

**M. Mercier** —Ah, Bonjour, comment allez-vous?

*(Say that you are very well, what about him?)*

**M. Mercier** —Merci, ça va. Que puis-je faire pour vous?

*(Tell him that you would like to come and see him in Paris to see his Sportswear Department if it is possible)*

**M. Mercier** —Oui. Quand pensez-vous venir?

*(Tell him that you would like to come next week on Wednesday or Thursday)*

**M. Mercier** —Désolé, mais je suis absent toute la semaine prochaine. Pourriez-vous venir la semaine d'après?

*(Tell him that you must look in your diary to check if it is possible. Yes, it is. Give him the exact date, ask if it suits him)*

**M. Mercier** —Parfaitement. Pourriez-vous me préciser votre heure d'arrivée au magasin? Comptez-vous passer la nuit à Paris?

*(Tell him that you will catch an early flight from London and should arrrive at the Galeries Lafayette around 10.30. And yes, you intend to stay in Paris that night. Would he be available for dinner?)*

**M. Mercier** —Très volontiers. Au plaisir de vous voir.

*(Say thank you and good-bye)*

**Task 2**

Send a telex to Madame Gaspart to give her Mr Reynold's particulars: name, position, company's name, address, tel. no. , (refer back to page 8 for details and use the following format:

```
AUTO:    0022695165
MEUBLA   695185 F
837242 BARLET 6

14.45   01.06.8..

13344

ATTN    MME GASPART

SALUTATIONS
A. REYNOLDS
BARTLETT LTD

937242   BARLET 6
MEUBLA   695185 F
```

**Task 3**
Enter the details of the following telex in Mr Reynold's diary:


```
ATTENTION : MONSIEUR REYNOLDS

MERCI DE NOUS AVOIR ENVOYE VOS COORDONNEES.
NOUS VOUS CONFIRMONS VOTRE RENDEZ-VOUS AVEC
MADAME GASPART LE JEUDI 8 JUIN A 11H AU
SIEGE SOCIAL.

SALUTATIONS
ISABELLE GODEY
MEUBLAT S.A.
```

TOUT CONFORT

# HOTEL JEAN BART

**9, rue Jean Bart 75006 PARIS**
Jardin du Luxembourg


Tél: 1548.29.13
Métro: Saint Placide
ou Notre-Dame des Champs


**Task 4**
Phone the above hotel and make a reservation for a single room with bath for three nights from 6th to 8th June inclusive in the name of William Bartlett Ltd.


**Task 5**
Confirm the reservation by letter and enclose a Eurocheque for the deposit required.


**Task 6**
Mr Reynolds intends to visit his supplier in Lyons 'La Société Tissurama' the day before his appointment with Madame Gaspart.
   Phone Tissurama to make an appointment with Monsieur Julien, the Export Sales Manager. Mr Reynolds will make the journey in a day, travelling by T.G.V.

# UNIT 2

# Arrivée à l'Aéroport de Roissy

M. Reynolds arrive à l'aéroport de Roissy. Il vient de récupérer sa valise et s'apprête à passer à la douane quand il s'aperçoit qu'il a oublié son attaché-case dans l'avion. Il se dirige vers un employé qui lui indique le Bureau de Renseignements situé au fond du hall à gauche.

**Mr Reynolds**—Pardon, Mademoiselle . . . Euh . . . Bonjour . . .

**Employée**     —Bonjour Monsieur. Vous désirez?

**Mr Reynolds**—J'ai oublié mon attaché-case dans l'avion.

**Employée**     —Vous venez d'où, s'il vous plaît?

**Mr Reynolds**—Je viens de Londres.

**Employée**     —Vous voulez me donner le numéro de votre vol s.v.p?

**Mr Reynolds**—Bien sûr. A.F. 527. Je viens d'arriver à Paris et c'est au moment où je récupérais ma valise que je me suis aperçu que j'avais laissé mon attaché-case sous mon siège. Je suis vraiment inquiet car il me le faut absolument. Il contient les catalogues de notre dernière collection de meubles dont j'ai absolument besoin pour . . .

**Employée**     —Oui, bon, excusez-moi de vous interrompre mais, pouvez-vous me donner une description de votre attaché-case?

**Mr Reynolds**—Oui, il est en cuir marron et mes initiales sont inscrites en haut à gauche.

**Employée**     —Il est fermé à clef?

**Mr Reynolds**—Oui, Mademoiselle, bien sûr.

**Employée**     —Votre nom s'il vous plaît?

**Mr Reynolds**—Mr Reynolds.

**Employée**     —Merci. Je vais téléphoner au bureau des objets trouvés. Si vous voulez patienter un moment je vous appellerai dès que j'aurai la réponse au sujet de votre attaché-case.

**Mr Reynolds**—Mais Mademoiselle, pensez-vous qu'on va le retrouver?

**Employée**     —90% des objets oubliés dans nos avions retrouvent leur propriétaire, alors il faut avoir confiance! A tout à l'heure, Monsieur.

*Un quart d'heure plus tard*

**Employée**     —Monsieur Reynolds, veuillez-vous présenter au bureau des objets trouvés. Votre attaché-case vous y attend.

**Mr Reynolds**—Oh, merci Mademoiselle, quel soulagement! J'y cours. Au revoir!

## Vocabulaire

l'arrivée,   *arrival*
le départ,   *departure*
le retour,   *return*
voyager par avion,   *to travel by plane*
prendre l'avion,   *to take the plane*
manquer son avion,   *to miss your plane*
un billet d'avion,   *a plane ticket*
retenir une place d'avion,   *to book a plane seat*
un aéroport,   *an airport*
atterrir,   *to land*
l'atterrissage (m),   *landing*
décoller,   *to take off*
le décollage,   *take-off*
enregistrer les bagages,   *to check in the luggage*
récupérer les bagages,   *to get the luggage back, reclaim*
le siège,   *seat*
être inquiet,   *to be worried*
l'embarquement (m),   *embarkation*
un vol,   *a flight*
l'avion à destination de Paris,   *the Paris plane, plane to Paris*
l'avion en provenance de Londres,   *the plane from London*
un passager, un voyageur,   *a passenger*
passer à la douane,   *to go through customs*
avoir quelque chose à déclarer,   *to have something to declare*
le Bureau de Renseignements,   *the Information Desk*
se renseigner,   *to find out, get information, to enquire*
le bureau des objets trouvés,   *lost property office*
la consigne,   *left luggage office*
s'apercevoir de quelque chose,   *to realise, notice something*
s'apprêter à faire quelque chose,   *to get ready to do something*
contenir,   *to contain*
interrompre,   *to interrupt*
patienter,   *to wait*
avoir besoin de,   *to need*
avoir confiance en,   *to have confidence in*
avoir envie de,   *to want*
un catalogue,   *a catalogue*
une brochure,   *a brochure*
un dossier,   *a file*
en cuir,   *(made of) leather*
en papier,   *(made of) paper*
en plastique,   *(made of) plastic*
être soulagé,   *to be relieved*
le soulagement,   *relief*
trouver/retrouver,   *to find*
se retrouver quelque part,   *to meet somewhere*

## Exercises

***Exercise 1:* Avez-vous bien compris?**
**Essayez de répondre aux questions suivantes:**

1 Où se trouve M. Reynolds?

2 A qui parle-t-il?

3 Que lui arrive-t-il?

4 Où avait-il mis son attaché-case?

5 Décrivez cet attaché-case.

6 Qu'est-ce qu'il y a dans l'attaché-case de M. Reynolds?

7 Qu'est-ce que l'employée propose de faire?

8 Que doit faire M. Reynolds?

9 Retrouve-t-il son attaché-case?

***Exercise 2:* Comment diriez-vous en français?**

1 To go through customs.

2 I have just realised that I have forgotten my catalogue.

3 Is your case locked?

4 I have left my passport in the plane.

5 I am extremely worried about him (her).

6 I shall phone you as soon as he arrives.

7 Please go to the Information Desk.

8 I really need that letter.

9 He is relieved to have found his case.

10 Her name is written on her suitcase.

***Exercise 3:* Practise** – venir de

**Example**
*I say:*
A-t-il récupéré sa valise?

*You say:*
Oui, il vient de récupérer sa valise.

—Est-il passé à la douane?

—A-t-il enregistré ses bagages?

—A-t-il acheté son ticket?

—L'avion a-t-il atterri?

—Avez-vous retrouvé votre attaché-case?

—L'avion a-t-il décollé?

—Avez-vous donné la description de votre attaché-case?

—Avez-vous téléphoné au Bureau des Objets Trouvés?

—Vous êtes-vous adressé à l'employé?


***Exercise 4: Listen to the following sentence. Repeat each section after the voice, then try to repeat the complete sentence.***

—C'est au moment où/ je récupérais ma valise/ que je me suis aperçu/ que j'avais laissé mon attaché-case sous mon siège.
(*Now how would you say?*)

—It was when I was checking in/ that I realised/ that I had lost my umbrella.
(*Try it in sections; listen to the correct versions, then try the whole sentence.*)
(*Now try another one*)
—It was when I was going through customs/ that I realised/ that I had forgotten my hat on the plane.


***Exercise 5: Practise** – il me faut with pronouns*

**Example**
*I ask:*                                           *You answer:*
Avez-vous besoin de votre carte          Oui, il me la faut absolument.
de crédit?

—Avez-vous besoin de votre catalogue?

—Avez-vous besoin de votre valise?

—Avez-vous besoin de vos brochures?

—Avez-vous besoin de ces renseignements?

—Avez-vous besoin de ces dossiers?

—Avez-vous besoin de votre calculatrice?

—Avez-vous besoin de votre passeport?

## Tasks

### *Task 1:* **Dialogue – Maintenant, à vous de jouer!**

You have just arrived at Roissy airport and you are about to go through Customs when you notice that you have left your raincoat on the plane. You make your way to the Lost Property Office.

(*Say hello to the man at the desk*)

**Employé**—Bonjour Monsieur, vous désirez?

(*Say that you have forgotten your raincoat on the plane*)

**Employé**—Vous venez d'où?

(*Say that you have just arrived from London, from Heathrow Airport*)

**Employé**—Quel est votre numéro de vol?

(*Say wait a minute, you must find your ticket. There it is. Flight B.A.647*)

**Employé**—Pouvez-vous me décrire votre imperméable, s'il vous plaît?

(*Say of course. It is beige, it is a Burberry*)

**Employé**—Avez-vous laissé quelque chose dans vos poches?

(*Say that your keys are in your pocket and that you had put your raincoat in the luggage rack*) porte bagage

**Employé**—Bon, je vais transmettre la description de votre vêtement et je vous prie de vous présenter à ce bureau dans une demi-heure.

(*Ask if he thinks that it will be found*) vous pensez qu'on va le trouver

**Employé**—Je pense que oui. A tout à l'heure, Monsieur.

### *Task 2*

Just before leaving for Paris Mr Reynolds phones Madame Gaspart's secretary to confirm his appointment and ask the easiest and quickest way to get from Roissy Airport to the Hotel Jean-Bart; (one student acts the part of Mr Reynolds).

Madame Gaspart's secretary explains to Mr Reynolds how to get to his hotel: R.E.R. and metro to station St Placide (another student acts the part of Madame Gaspart's secretary).

Refer to the map on page 22.

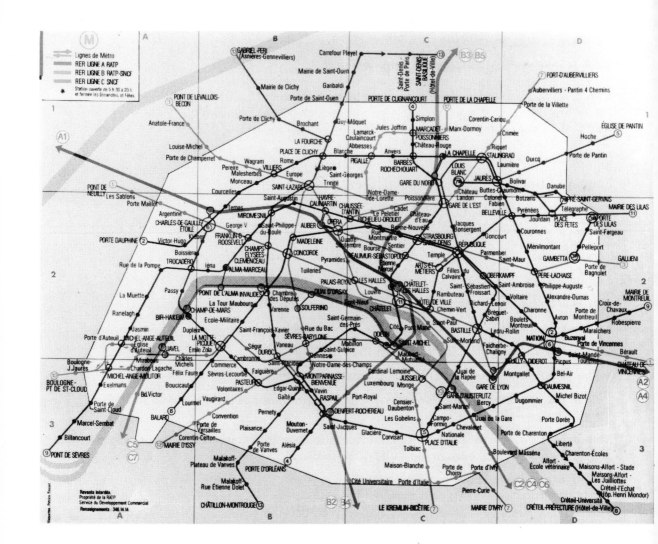

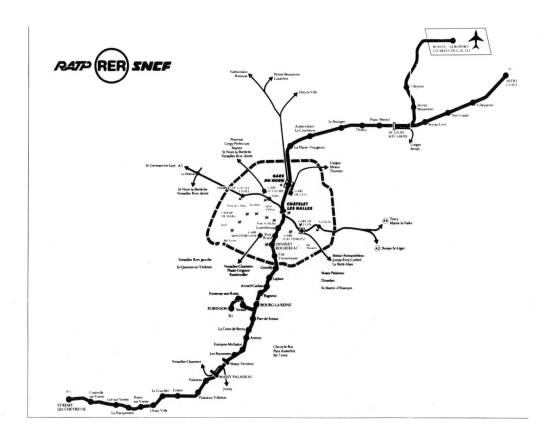

## Task 3

Mrs Shepherd, a businesswoman in Paris, has some free time, so she asks the receptionist at the Hotel Jean Bart to suggest a pleasant walk.

She or he suggests:

—Jardin du Luxembourg; Sénat

—Boulevard St Michel; La Sorbonne

—Drink on a terrace, perhaps in front of the Fontaine St. Michel

—Walk by the river Seine to Notre Dame.

Act the part of the receptionist, use the map of Paris (page 24).

# UNIT 3

## Arrivée à L'Hôtel Jean-Bart – Paris 6ème

**Mr Reynolds** —Bonjour Madame.

**Réceptionniste** —Bonjour Monsieur, vous désirez?

**Mr Reynolds** —J'ai une chambre réservée au nom de Monsieur Reynolds.

**Réceptionniste** —Monsieur Reynolds? Ce nom ne me dit rien. Vous voulez l'épeler, s'il vous plaît?

**Mr Reynolds** —Bien sûr. R-e-y-n-o-l-d-s.

**Réceptionniste** —Je cherche . . . non, je ne vois rien à ce nom. Etes-vous sûr que vous êtes dans le bon hôtel?

**Mr Reynolds** —Ah, oui, j'en suis sûr et certain, ma secrétaire a même confirmé la réservation par télex.

**Réceptionniste** —Désolée, Monsieur, votre nom ne figure pas dans mon registre.

**Mr Reynolds** —Je ne comprends vraiment pas ce qui a pu se passer. Avez-vous des chambres libres, Madame?

**Réceptionniste** —Non, Monsieur, pas une seule. L'hôtel est complet.

**Mr Reynolds** —Ah, mais j'y pense, peut-être que la réservation a été faite au nom de la société William Bartlett.

**Réceptionniste** —William Bartlett? Ah oui, voilà, une chambre avec salle de bain pour 2 nuits, du 6 au 7 juin compris.

**Mr Reynolds** —Ouf! J'ai eu peur . . . je n'aurais vraiment pas su où chercher une chambre à Paris à cette heure!

**Réceptionniste** —Chambre no. 25 au 2ème étage. Voici la clef.

**Mr Reynolds** —Merci Madame. A partir de quelle heure peut-on prendre le petit déjeuner, s'il vous plaît?

**Réceptionniste** —A partir de 7 heures du matin. Voulez-vous qu'on vous réveille. Monsieur?

**Mr Reynolds** — Oui, s'il vous plaît, à 6 h 45.

**Réceptionniste** —Bien. Désirez-vous prendre votre petit déjeuner dans votre chambre?

**Mr Reynolds** —Oui, s.v.p. Je voudrais du café et des croissants.

**Réceptionniste** —Bien Monsieur, c'est noté. Bonsoir.

**Mr Reynolds** Bonsoir.

### *Vocabulaire*

réserver une chambre,   *to reserve, book a room*
réserver une place,   *to reserve, book a seat, place*
réserver une table,   *to reserve, book a table*

réserver une salle de conférence, *to reserve, book a conference room*
retenir une place, un stand, un siège, *to reserve a place, a stand, a seat*
réserver au nom de . ., *to book in the name of . . .*
faire une réservation, *to make a reservation*
confirmer par écrit, *to confirm in writing*
une chambre à 1 personne, *a single room*
avec/sans salle de bain, *with/without bathroom*
une chambre à 2 personnes, *a double room*
avec douche, *with shower*
le petit déjeuner (complet), *full breakfast*
le déjeuner, *lunch*
le dîner, *dinner*
en demi-pension, *half-board*
en pension complète, *full board*
service et T.V.A. compris, *service and V.A.T. included*
tout compris, *all (charges) included*
verser des arrhes, *to pay a deposit*
régler une facture, *to pay a bill*
régler par chèque, *to pay by cheque*
régler avec une carte de crédit, *to pay by credit card*
payer en liquide, *to pay cash*
au 1er étage, *on the first floor*
au rez de chaussée, *on the ground floor*
au sous-sol, *in the basement*
un ascenseur, *a lift*
un parking gratuit/payant, *a free/fee-paying car park*
se faire réveiller, *to be woken up*
réveiller, *to wake up*
un réveil, *an alarm (call)*
figurer, *to be, appear (on a list etc.)*
un registre, *a register*
se passer, se produire, arriver, *to happen, to occur*
ça me dit quelque chose, *that means something to me*
ça ne me dit rien, *that means nothing to me*
c'est gentil de votre part, *it is nice of you*
j'en suis sûr, *I'm sure of it*
j'en suis certain, *I'm certain of it*
j'en suis persuadé/convaincu, *I'm convinced about it*
avoir peur, *to be afraid*
avoir envie de, *to want, to feel like*
avoir faim, *to be hungry*
avoir soif, *to be thirsty*
les feux de signalisation (m), *the traffic lights*
le bon hôtel, *correct hotel*
être confronté à, *to be faced with*

## Exercises

*Exercise 1:* **Avez-vous bien compris?**
**Essayez de répondre aux questions suivantes:**

1  Où arrive Monsieur Reynolds?

2  Dans quel arrondissement se trouve l'Hôtel Jean-Bart?

3  A quel problème Monsieur Reynolds est-il confronté?

4  Qui a fait la réservation de Monsieur Reynolds?

5  Monsieur Reynolds peut-il dormir à l'Hôtel Jean-bart?

6  Comment se résoud le problème de Monsieur Reynolds?

7  Où Monsieur Reynolds va-t-il prendre son petit déjeuner?

8  Qu'est-ce que la réceptionniste lui demande?

9  Monsieur Reynolds veut-il se lever de bonne heure?

10 Qu'est-ce que Monsieur Reynolds commande pour son petit déjeuner?

*Exercise 2:* **Comment diriez-vous en français?**

1  I have a room booked for Mr Smith.

2  No room has been booked in that name.

3  My booking was confirmed by telex.

4  Sorry, your name does not appear in the register.

5  Are you sure that you are in the right hotel?

6  Here is the key for room 13 on the third floor.

7  At what time do you start serving breakfast?

8  Would you like to be given a morning call?

*Exercise 3:* **Practise – Vouloir savoir**

**Example**
*I say:*                                           *You say:*
Demandez-lui s'il désire un café.                  Je voudrais savoir si vous voulez un café.

—Demandez-lui s'il a envie de sortir.

—Demandez-lui s'il veut une chambre.

—Demandez-lui s'il a un lit.

—Demandez-lui s'il souhaite être réveillé.

—Demandez-lui s'il veut manger au restaurant.

—Demandez-lui s'il désire prendre le petit déjeuner dans la chambre.


### *Exercise 4:* Practise – Je ne sais pas ce qui a pu

**Example**

| *I ask:* | *You answer:* |
|---|---|
| Savez-vous ce qui s'est passé? | Je ne sais pas ce qui a pu se passer |

—Savez-vous ce qui est arrivé?

—Savez-vous ce qui s'est produit?

—Savez-vous ce qui a causé l'accident?

—Savez-vous ce qui a arrêté la négociation?

—Savez-vous ce qui a retardé le vol?


### *Exercise 5:* Practise – Passive Form

**Example**

| *I say:* | *You say:* |
|---|---|
| On a recommandé votre hôtel | Votre hôtel a été recommandé |

—On a réservé une chambre.

—On a réglé la facture.

—On a servi le petit déjeuner.

—On a garé la voiture.

—On a appelé un taxi.

—On a réveillé les clients.

—On a retenu 2 places de cinéma.

—On a envoyé 50 invitations.

—On a interrogé 20 personnes.

## Tasks

*Task 1:* **Dialogue – Maintenant, à vous de jouer**
Madame Shepherd arrives at the hotel where she has booked a room.

**Réceptionniste**—Bonsoir Madame. Vous désirez?

(*Say who you are [Mme Shepherd] and that you've booked a room for tonight*)

**Réceptionniste**—Voyons . . . Shepherd . . . Ah, il n'y a pas de réservation au nom de Shepherd, je suis désolée. Vous êtes sûre d'avoir réservé ici?

(*Say that you are sure that it is the right hotel and you booked by phone. Ask if they have any rooms free for tonight*)

**Réceptionniste**—Non, pour ce soir nous sommes complets, mais si vous voulez, essayez un autre hôtel. Il y en a un tout près d'ici. Je vais leur téléphoner pour savoir s'il leur reste une chambre.

(*Say that it is very nice of her to do that*)

**Réceptionniste**—Vous avez de la chance, il leur reste une chambre, mais avec douche seulement.

(*Say that it doesn't matter, you will take that room. You need a place to stay for the night*)

**Réceptionniste**—Bon, c'est l'Hôtel du Lion d'Or. Vous prenez la rue à droite. Vous arrivez à un grand carrefour, avec des feux de signalisation. Vous tournez encore à droite et l'hôtel est juste sur votre gauche.

(*Say that you have not quite understood. Ask what to do after the traffic lights.*)

**Réceptionniste**—Vous devez tourner encore à droite et l'hôtel est sur votre gauche.

(*Say thank you very much and goodbye*)


*Task 2*
Mr Reynolds has a free evening tonight and would like to go to the theatre. He phones the Théâtre Marigny to ask if they have any seats left.
    Act the part of Mr. Reynolds. Don't forget to check the price and time.


*Task 3*
Mr Reynolds has got an appointment in Lyons at 11 a.m. The firm Tissurama is about twenty minutes away from the station by car. He wants to be back at his hotel by 10.30 p.m. He'll have his evening meal on the train. Using the T.G.V.*
time-table, make a note of the T.G.V. nos. and departure and arrival times.

---

\* train à grande vitesse

**Task 4**
Send a telex to the Hôtel des Poètes confirming your reservation for 2 single rooms with bathroom from Friday July 4th to Monday July 7th, inclusive. State the agreed price, i.e. 150FF per room and that you will arrive at about 4 p.m. on the Friday.

**Task 5**
Translate the following telex.

```
TLX. 12593

ATTN. RESERVATIONS

I CONFIRM RESERVATIONS FOR 2 SINGLE ROOMS WITH BATH
FOR 4 NIGHTS 13 TO 16 NOVEMBER INCLUSIVE FOR MR R. H.
SMITH AND MR M. DYLAN, BREAKFAST ALSO INCLUDED.

THEY ARE FROM THE COMPANY MULTIWRAP LTD. AND WILL BE
ATTENDING THE SALON DE L'EMBALLAGE.  THEY WILL BE
ARRIVING ON TUESDAY 13 NOVEMBER IN THE EVENING AND
LEAVING ON THE MORNING OF SATURDAY 17 NOVEMBER.

I ALSO CONFIRM THAT THE PRICE IS FF450.00 PER NIGHT
PER SINGLE ROOM.

PLEASE ALSO RESERVE A CAR PARK SPACE FOR THIS PERIOD.

MANY THANKS.

MISS N. BURNS
MULTIWRAP LTD.
```

⊡ TGV sans supplément.
★ TGV avec supplément.

# PARIS → LYON → ST-ÉTIENNE

| Nº du TGV | 651 | 603 (1) | 803/701 | 701 | 605 | 653 (1) | 609 | 607 | 657 | 613 (2) | 613 | 615 | 801 (3) | 617 | 621/703 | 671 | 625/741 | 627 | 677 | 629 | 679/743 | 831 | 631 | 681/745 | 635 | 685 | 747 | 639/705 | 659/707 | 641 | 643 | 647 | 64 |
|---|---|---|---|---|---|---|---|---|---|---|---|---|---|---|---|---|---|---|---|---|---|---|---|---|---|---|---|---|---|---|---|---|---|
| Restauration | ⊡ | ⊡ | ⊡ | | | ⊡ | | ⊡ | ⊡ | ⊡ | | | | ⊡ | ⊡ ① ② | ⊡ | | | | | | | | | | | | ⊡ ② | ⊡ ② | ⊡ | ① ② | ⊡ ① ② | ⊡ ② |
| Paris - Gare de Lyon | D | 6.15 | 6.45 | 7.00 | 7.00 | 7.00 | 7.30 | 7.54 | 8.00 | 8.20 | 10.00 | 10.03 | 11.00 | 10.41 | 12.00 | 13.00 | 13.34 | 14.00 | 15.00 | 15.25 | 16.00 | 16.22 | 16.49 | 17.00 | 17.27 | 18.00 | 18.22 | 18.28 | 19.00 | 19.00 | 19.28 | 20.00 | 21.00 | 21.5 |
| Le Creusot-TGV | A | 7.41 | | | | | | 9.20 | | | | | | | 14.26 | | | | | | | | | 17.26 | | 18.16 | | | 20.27 | | 20.56 | | | |
| Lyon - Part-Dieu | ◀ A | 8.23 | 8.45 | 9.00 | 9.00 | 9.00 | 9.30 | 10.02 | 10.02 | 10.20 | 12.02 | 12.07 | 13.00 | 12.43 | 14.00 | 15.08 | 15.36 | 16.02 | 17.00 | 17.25 | 18.08 | 18.24 | 18.57 | 19.04 | 19.31 | 20.04 | 20.26 | 20.32 | 21.10 | 21.04 | 21.38 | 22.03 | 23.04 | 23. |
| Lyon - Perrache | ◀ A | 8.33 | 8.58 | | | 9.10 | 9.40 | 10.12 | 10.12 | 10.30 | 12.15 | 12.15 | 13.10 | | 14.10 | 15.18 | 15.46 | 16.15 | 17.10 | 17.35 | 18.18 | 18.37 | | 19.14 | 19.44 | 20.14 | 20.36 | | 21.20 | 21.14 | 21.48 | 22.14 | 23.14 | 0. |
| Saint-Étienne | A | | 9.46 | 9.46 | b | | | a | a | a | b | b | b | | b | 16.53 | a | | a | c | a | a | b | | a | | a | a | 21.55 | 21.52 | a | | |

| | | Lundi | ★ | ★ | ★ | | | ★ | | ★ | ★ | ○ | | ○ | | ○ | | ○ | | ○ | | ○ | | ★ | ★ | ★ | ★ | | ★ | | | ○ | ○ | |
| Jusqu'au 17 janvier et à partir du 19 avril | | Mardi au jeudi | ○ | ★ | ★ | | | ○ | | ★ | ★ | ○ | | ○ | | ○ | | ○ | | ○ | | ○ | | ★ | ★ | ★ | ★ | | ★ | | | ○ | ○ | |
| | | Vendredi | ○ | ★ | ★ | | | ★ | ★ | ○ | ○ | ○ | | ○ | ○ | ○ | ○ | ○ | | ○ | ★ | ○ | ★ | ★ | ★ | ★ | ★ | | ★ | | | ○ | ○ | ○ |
| | | Samedi | | | ○ | | | ○ | | ○ | ○ | ○ | | (3) ○ | | ○ | | ○ | | | ○ | ○ | | | ○ | ○ | | | ○ | ○ | | | ○ | | |
| | | Dimanche | | | ○ | | ○ | | | ○ | | ○ | | | | ○ | | ○ | | | ○ | | | ○ | ★ | ★ | | ★ | ★ | ★ | | | ★ | ○ | ○ |
| Du 18 janvier au 18 avril | | Lundi | ★ | ★ | ★ | | | ★ | | ★ | ★ | ○ | | ○ | | ○ | | ○ | | ○ | | ○ | | ★ | ★ | ★ | ★ | | ★ | | | ○ | ○ | |
| | | Mardi au jeudi | ○ | ★ | ★ | | | ○ | | ★ | ★ | ○ | | ○ | | ○ | | ○ | | ○ | | ○ | | ★ | ★ | ★ | ★ | | ★ | | | ○ | ○ | |
| | | Vendredi | ○ | ★ | ★ | | | ★ | ★ | ○ | ○ | ○ | | ○ | ○ | ○ | ○ | ○ | | ○ | ★ | ○ | ★ | ★ | ★ | ★ | ★ | | ★ | | | ○ | ○ | ○ |
| | | Samedi | | | ○ | | | ○ | | ○ | ○ | ○ | | (3) ○ | | ○ | | ○ | | | ○ | ○ | | | ○ | ○ | | | ○ | ○ | | | ○ | | |
| | | Dimanche | | | ○ | | ○ | | | ○ | | ○ | | | | ○ | | ○ | | | ○ | | | ○ | ★ | ★ | | ★ | ★ | ★ | | | ★ | ○ | ○ |

▲ Arrivée  D Départ.
◀ Les TGV ne prennent pas de voyageurs à Lyon pour St-Étienne, ni à Part-Dieu pour Perrache.
1) Ce TGV ne comporte que des voitures 1ʳᵉ classe.
2) TGV 1ʳᵉ classe uniquement ; 1ʳᵉ et 2ᵉ classe les samedis et dimanches.
3) TGV 1ʳᵉ classe uniquement. Ne circule qu'à partir du 4 avril.

★ Sauf les jours particuliers repris au tableau pages 16 et 17.
⊡ Service restauration à la place en 1ʳᵉ classe, en réservation.
① Plateaux-repas froid en 1ʳᵉ classe, sans réservation.
② Plateaux-repas froid en 2ᵉ classe également.

a Correspondance à Lyon-Perrache.
b Correspondance à Lyon-Part-Dieu.
c Correspondance à Lyon-Part-Dieu sauf samedis, dimanches et fêtes.

# ST-ÉTIENNE → LYON → PARIS

| Nº du TGV | 600 | 602 | 652 (1) | 604 (2) | 710/1 | 608 | 610 | 804/854 | 612 | 616 | 618/736 | 670 | 622/712 | 624 | 802 (5) | 626/740 | 740 | 656 | 628 | 678 (4) | 632 | 636 | 714/744 | 640 | 688 | 644 | 840 | 890 | 890 | 64 |
|---|---|---|---|---|---|---|---|---|---|---|---|---|---|---|---|---|---|---|---|---|---|---|---|---|---|---|---|---|---|---|
| Restauration | | ⊡ | ⊡ | ⊡ | | ⊡ | | | | ⊡ ① ② | ⊡ ② | | | | | | | | | | ⊡ ① ② | ⊡ | ⊡ ② | | | | | | | |
| Saint-Étienne | D | | | b | | 6.19 | c | a | | | d | a | b | 13.13 | a | | a | | b | | b | a | 18.13 | a | | b | b | b | b | |
| Lyon - Perrache | ▶ D | 5.05 | 5.40 | 6.20 | 6.46 | | 7.46 | 8.50 | | 9.50 | 10.50 | (3) 11.46 | 13.20 | 13.48 | 14.49 | | 15.46 | | 15.57 | 16.50 | 17.15 | 17.50 | 18.30 | | 19.50 | 20.13 | 20.50 | | | 21. |
| Lyon - Part-Dieu | ▶ D | 5.15 | 5.50 | 6.30 | 7.00 | 7.06 | 8.00 | 9.00 | 9.29 | 10.00 | 11.00 | | 12.00 | 13.30 | 14.00 | 15.00 | 15.40 | 16.00 | 16.00 | 16.07 | 17.00 | 17.26 | 18.00 | 18.40 | 19.00 | 20.00 | 20.23 | 21.06 | 21.10 | 21.10 | 21.14 | 21. |
| Mâcon-TGV | D | | ▶6.15 | | | | | | | | | | | | | | | | | | | | | | | | | | 22. |
| Le Creusot-TGV | D | | ▶6.37 | | | | 8.41 | | | | | | | | | | | | | | 17.41 | | 19.21 | | | | 21.50 | 21.50 | 22.00 | | |
| Paris - Gare de Lyon | A | 7.15 | 8.06 | 8.34 | 9.04 | 9.10 | 10.10 | 11.02 | 11.33 | 12.00 | 13.00 | 14.04 | | 15.34 | 16.04 | 17.04 | 17.44 | 18.00 | 18.00 | 18.11 | 19.10 | 19.30 | 20.04 | 20.50 | 21.02 | 22.04 | 22.27 | 23.04 | 23.20 | 23.20 | 23.31 | 23. |

| | | Lundi | ○ | ★ | ★ | ★ | ★ | ★ | ○ | | ★ | ○ | | ★ | ○ | ○ | ○ | | ○ | | ★ | ★ | ★ | | ○ | | | ○ | ○ | | |
| Jusqu'au 21 février et à partir du 19 avril | | Mardi au jeudi | | ○ | ★ | ★ | ★ | ○ | ○ | ○ | | ○ | ○ | | ○ | ○ | ○ | | ○ | | ★ | ★ | ★ | | ○ | | | ○ | ○ | | |
| | | Vendredi | | ○ | ★ | ★ | ★ | ○ | ○ | ○ | | ○ | ★ | | ○ | ○ | ○ | | ○ | | ★ | ★ | ★ | ★ | ★ | | ○ | ★ | ★ | | |
| | | Samedi | | | | ○ | ○ | ○ | ○ | | | ○ | | | ○ | ○ | (5) ○ | | ○ | ○ | | ○ | | ○ | | | | ○ | | | |
| | | Dimanche | | | | ○ | | ○ | | | ○ | | | ○ | | | | ○ | | | ★ | | ★ | ★ | ★ | ★ | ★ | | | ★ | ○ | ○ |
| Du 22 février au 18 avril | | Lundi | ○ | ★ | ★ | ★ | ★ | ★ | ○ | | ★ | ○ | | ★ | ○ | ○ | ○ | | ○ | | ★ | ★ | ★ | | ○ | | | ○ | ○ | | |
| | | Mardi au jeudi | | ○ | ★ | ★ | ★ | ○ | ○ | ○ | | ○ | ○ | | ○ | ○ | ○ | | ○ | | ★ | ★ | ★ | | ○ | | | ○ | ○ | | |
| | | Vendredi | | ○ | ★ | ★ | ★ | ○ | ○ | ○ | | ○ | ★ | | ○ | ○ | ○ | | ○ | | ★ | ★ | ★ | ★ | ★ | | ○ | ★ | ★ | | |
| | | Samedi | | | | ○ | ○ | ○ | ○ | | | ○ | | | ○ | ○ | (5) ○ | | ○ | ○ | | ○ | | ○ | | | | ○ | | | |
| | | Dimanche | | | | ○ | | ○ | | | ○ | | | ○ | | | | ○ | | | ★ | | ★ | ★ | ★ | ★ | ★ | | | ★ | ○ | ○ |

▲ Arrivée  D Départ
◀ Les TGV ne prennent pas de voyageurs à Perrache pour Part-Dieu, à Saint-Étienne pour Lyon, (Attention : le TGV 602 ne prend pas de voyageurs pour Mâcon-TGV ; ne prend pas de voyageurs à Mâcon pour le Creusot TGV).
1) TGV 1ʳᵉ classe les vendredis ; 1ʳᵉ et 2ᵉ classe les autres jours.
2) TGV 1ʳᵉ classe ; 1ʳᵉ et 2ᵉ classe les lundis, samedis et dimanches.
3) Au départ de Lyon-Perrache, 1ʳᵉ classe uniquement tous les jours sauf les vendredis, samedis et dimanches.

(4) TGV en 1ʳᵉ classe ; 1ʳᵉ et 2ᵉ classe les vendredis.
(5) TGV 1ʳᵉ classe uniquement. Ne circule qu'à partir du 5 avril.
★★ Sauf les jours particuliers repris au tableau pages 18 et 19.
⊡ Service restauration à la place en 1ʳᵉ classe, en réservation.
① Plateaux-repas froids en 1ʳᵉ classe, sans réservation.
② Plateaux-repas froids en 2ᵉ classe également.

a Correspondance à Lyon-Perrache.
b Correspondance à Lyon-Part-Dieu.
c Correspondance à Lyon-Part-Dieu sauf dimanches et fêtes.
d Correspondance à Perrache les dimanches et

# UNIT
## 4

# Arrivée dans l'entreprise

**Mr Reynolds**    —Bonjour Mademoiselle.

**Réceptionniste** —Bonjour Monsieur. Qu'est-ce que je peux faire pour vous?

**Mr Reynolds**    —Je suis Mr Reynolds de la société William Bartlett de Grande-Bretagne. J'ai rendez-vous avec Madame Gaspart à 11 h.

**Réceptionniste** —Excusez-moi, pourriez-vous me rappeler votre nom? Je n'ai jamais fait d'anglais et j'ai beaucoup de mal avec les noms étrangers.

**Mr Reynolds**    —Reynolds – R-e-y-n-o-l-d-s da la société William Bartlett . . . W-i--oh- attendez – c'est plus simple si je vous donne ma carte. Tenez.

**Réceptionniste** —Merci beaucoup . . . Je suppose que maintenant c'est la prononciation qui va me poser des problèmes. Il faut absolument que je prenne des cours du soir . . .

(*Réceptionniste téléphone à la secrétaire de Mme Gaspart*)

**Réceptionniste** —Allo – Isabelle? Pourrais-tu prévenir Mme Gaspart que Mr Reynolds est arrivé. Ah! bon! . . . Ça ne fait rien. Je m'en occupe . . . d'accord.

**Réc.** (cont)     —Mme Gaspart est encore occupée mais sa secrétaire m'assure qu'elle n'en a pas pour longtemps.

**Mr Reynolds**    —Ne vous inquiétez pas. Je ne suis pas pressé. Mon avion est à 16 heures cet après-midi et je n'ai pas d'autres rendez-vous.

**Réceptionniste** —Si vous voulez vous asseoir. En attendant, est-ce que vous aimeriez prendre une tasse de café? . . . à moins que vous ne préfériez du thé . . .

**Mr Reynolds**    —Je sais que les Anglais ont la réputation de boire du thé à longueur de journée mais il se trouve que je préfère le café.

**Réceptionniste** —Parfait – Je vous fais une tasse de café alors?

**Mr Reynolds**    —Bien volontiers. J'en ai grand besoin. Je me suis couché tard hier soir.

**Réceptionniste** —J'en ai pour une minute . . . (*Revient*) Ah! j'ai oublié le lait. Je crois savoir que les Anglais mettent toujours du lait dans leur café.

**Mr Reynolds**    —Non merci. Une tasse de café noir non sucré, c'est parfait. Je vous remercie, vous êtes bien aimable.
Hum! quel arôme! c'est meilleur que le café instantané.

**Réceptionniste** —Pourquoi? On ne fait pas de café frais en Grande-Bretagne?

**Mr Reynolds**    —Ah si! mais dans les bureaux on choisit la solution de facilité.

**Réceptionniste** —Vous parlez très bien le français, M. Reynolds . . Est-ce que vous venez souvent en France?

**Mr Reynolds** —En moyenne, 3 ou 4 fois par an. Je viens tous les ans au Salon des Arts Ménagers et au Salon du Meuble.

**Réceptionniste** —Et . . . est-ce que vous avez déjà exposé?

**Mr Reynolds** —Non, pas encore, mais c'est quelque chose que nous comptons faire l'année prochaine si les affaires marchent bien.

**Réceptionniste** —Je crois entendre Mme Gaspart. Oui, c'est elle.

## Vocabulaire

faire des études,  *to study*
faire de l'anglais,  *to study English*
faire de l'allemand,  *to study German*
faire de l'espagnol,  *to study Spanish*
étudier une langue,  *to study a language*
étudier une offre,  *to study an offer*
étudier un prix,  *to study a price*
prendre des cours,  *to take/have lessons*
assister à un cours,  *to attend/be present at a lesson*
simple,  *simple*
difficile,  *difficult*
facile,  *easy*
compliqué,  *complicated*
complexe,  *complex*
dur,  *hard*
prévenir quelqu'un,  *to inform/warn someone*
ça ne fait rien,  *that doesn't matter*
ça n'a pas d'importance,  *that's not important*
s'occuper de quelque chose,  *to take care of/handle/deal with something*
s'occuper de quelqu'un,  *to look after someone*
être pressé,  *to be in a hurry*
être en retard,  *to be late*
être en avance,  *to be early*
J'en ai pour une heure,  *It will take me an hour*
En avez-vous pour longtemps? *Will it take you long?*
Je n'en ai pas pour longtemps,  *I won't be long*
à longueur de journée,  *all day long*
du matin au soir,  *from morning till night*
toute la journée,  *the whole day, all day*
prendre un verre,  *to have a drink*
prendre une tasse de café,  *to have a coffee*
oublier,  *to forget*
se rappeler quelque chose,  *to remember*
se souvenir de quelque chose,  *to remember*
je crois savoir que . . .,  *I believe that . . .*
souvent: rarement,  *often: rarely*
quelquefois,  *sometimes*

une fois par an,  *once a year*
deux fois par trimestre,  *twice a term*
tous les ans,  *every year*
toutes les semaines,  *every week*
l'année prochaine,  *next year*
l'année dernière,  *last year*
un salon – le Salon de l'Auto,  *a show – the Motor Show*
une foire-exposition,  *a trade fair/exhibition*
exposer,  *to exhibit*
un exposant,  *an exhibitor*
une gamme de produits,  *a range of products*
promouvoir – la promotion,  *to promote – a promotion*
participer à un salon,  *to exhibit at a show*
s'inscrire à un salon,  *to enrol at a show*
salon réservé aux professionnels,  *show reserved for the trade*
un stand, tenir un stand,  *a stand, to have a stand*
les affaires vont bien/mal,  *business is good/bad*
les affaires marchent bien,  *business is going well*

## Exercises

***Exercise 1:* Avez-vous bien compris?**
**Essayez de répondre aux questions suivantes:**

1  A qui parle M. Reynolds?

2  Pourquoi M. Reynolds ne finit-il pas d'épeler son nom?

3  M. Reynolds peut-il voir Mme Gaspart immédiatement?

4  Qu'est-ce que la réceptionniste lui offre?

5  Pourquoi M. Reynolds parle-t-il bien le français?

6  Pour quelle raison vient-il à Paris tous les ans?

7  Y a-t-il déjà exposé?

***Exercise 2:* Comment diriez-vous en français?:**

1  I have an appointment with Mrs Nicolas.

2  He must go to an evening class.

3  I happen to prefer tea.

4  I won't be long.

5  Please tell Mr Jones that Madame Mitterrand is here.

6  He smokes all day long.

7  I come to Paris two or three times a year, on average.

8  We intend to have a stand at the Ideal Home Exhibition.

### Exercise 3: Practise – Devoir

**Example**
*I say:*
Il faut que je prenne l'avion

*You say:*
Je dois prendre l'avion

—Il faut que tu sois à l'heure.

—Il faut que vous passiez un télex.

—Il faut que nous envoyions la facture.

—Il faut qu'il prévienne le directeur.

—Il faut qu'il se couche de bonne heure.

—Il ne faut pas qu'il mange trop.

### Exercise 4: Practise – meilleur que

**Example**
*I say:*
Je préfère le thé au café

*You say:*
Pour moi, le thé est meilleur que le café

—Il préfère la bière au vin.

—Nous préférons le lait à la limonade.

—Ces femmes préfèrent les cigarettes aux cigares.

—Les connaisseurs préfèrent le café filtre au café instantané.

### Exercise 5: Practise – avoir l'intention de + infin

**Example**
*I say:*
C'est quelque chose que je compte faire.

*You say:*
C'est quelque chose que j'ai l'intention de faire.

—C'est la commande que je compte passer.

—C'est l'hôtel où il compte passer la nuit.

—Ce sont les produits que nous comptons fabriquer.

—Ce sont les gammes qu'ils comptent promouvoir.

—Ce sont les meubles que je compte exposer.

## Tasks

*Task 1:* **Dialogue – Maintenant, à vous de jouer**
Mrs Heppell (You) has just arrived at the Company 'Riom Laboratoires' in Clermont-Ferrand, France.

(*Say hello to the receptionist and introduce yourself*)

**Réceptionniste**—Bonjour Madame, pouvez-vous m'épeler votre nom s.v.p.?

(*Spell your name and say that you have an appointment with Madame Ferrand at 11.30 a.m.*)

**Réceptionniste**—Un instant, s.v.p. je l'appelle . . . Désolée Madame, Mme Ferrand n'est pas dans son bureau.

(*Say that you don't understand, she has sent a written confirmation of your appointment*)

**Réceptionniste**—Voici sa secrétaire.

**Secrétaire**—Madame Heppell? Je suis Mlle Abgrall, la secrétaire de Mme Ferrand. Mme Ferrand a dû s'absenter pour une urgence; elle vous prie de l'excuser, elle ne pourra vous recevoir qu'à 14 heures.

(*Say that you cannot wait that long, you have so many things to do! Add that you are really upset*)

**Secrétaire**—Mme Ferrand était elle aussi très contrariée de devoir reporter votre rendez-vous. Elle m'a priée d'insister pour que vous consentiez à attendre 14 h et propose que nous déjeunions ensemble.

(*You say that you must consult your diary to see if you can rearrange your time-table for the afternoon*)

**Secrétaire**—Si vous voulez téléphoner . . .

(*Say yes, you will ring to try and postpone your first afternoon appointment. Tell the secretary that everything is fine and that you will stay with her until 2 o'clock.*)

## Task 2
Your company, VEC (VEC REFRIGERATION PLC), Lyme Regis, Dorset DO23 9NQ, Tel. (0744) 21968, intends to take part in the 198.. Salon des Arts Ménagers in Paris.

Write to the Commissariat Général du Salon International Professionnel des Arts Ménagers, 22 Avenue Franklin-Roosevelt, to ask for information, enrolment form and prices of stands.

## Task 3
Write a memo to your M.D. explaining the various packages available to exhibitors.

Fill in the enrolment form. Use your own name and make up a role for yourself within VEC. Ask for the all-inclusive package.

# 5° SALON INTERNATIONAL PROFESSIONNEL DES ARTS MENAGERS

### Paris, 9—12 janvier 198.

Parc d'Expositions de Paris-Nord — 84 500 m$^2$ sur 3 halls de plain-pied (3, 4 et 5)

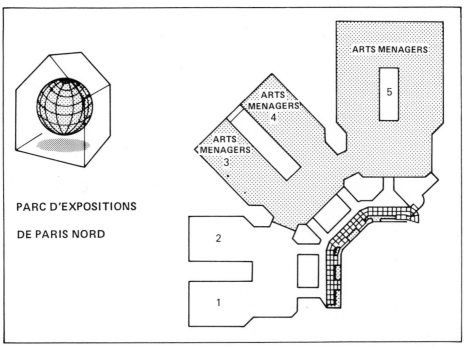

**PARC D'EXPOSITIONS**

**DE PARIS NORD**

**Au SALON INTERNATIONAL PROFESSIONNEL DES ARTS MENAGERS sont exposés:**

- Articles pour la table, utensiles pour la cuisine et le menage
- Petits appareils électromenagers

- Gros électromenager et encastrables
- Meubles et ensembles de cuisine et de salle de bains
- Appareils de chauffage

Pour plus d'informations, retournez la carte ci-dessous

Appareils de chauffage

Commissariat Général du
Salon International Professionnel
des Arts Menagers

22 avenue Franklin-Roosevelt

**CONDITIONS DE PARTICIPATION:** (hors taxes : la T.V.A. de 18.60% est à ajouter)

### I – FORMULE TRADITIONNELLE

#### Prix du mètre carré

Pour les 20 premiers mètres carrés, le $m^2$ ................................................................................... 643 FF H.T.
Pour chaque mètre carré supplémentaire, jusqu' à 60 $m^2$ ........................................................ 731 FF H.T.
Pour chaque mètre carré supplémentaire, au-delà de 60 $m^2$ ................................................... 817 FF H.T.

Droit d'inscription forfaitaire ...................................................................................................... 600 FF H.T.

#### Le stand fourni comprend:
un plancher nu     des cloisons     un revêtement de cloison (toile de jute décreusée).
une enseigne (sauf pour les stands ouverts sur 4 côtés).

### II – FORMULE "TOUT COMPRIS" (FORFAIT)

#### Ce forfait comprend:

- Un stand complètement équipé (plancher, bandeau,  revêtement du sol, cloisons, revêtement des cloisons, enseigne, consommation électrique, prises de courant, spots, étagères, mobilier : bureau, sièges, placard de rangement, porte-manteau).
- Nettoyage journalier au stand.
- Une place de parking sur le lieu d'exposition.
- Six nuits en chambre double dans un hôtel 3 étoiles, petit déjeuner inclus.
- Liaison gratuite en autocar entre le Parc des Expositions et l'Hôtel, le matin et le soir.
- Un responsable à votre disposition.
- Une annonce publicitaire de 1/4 de page noir et blanc dans le catalogue du Saion, frais techniques inclus.

Pour un stand de  9 $m^2$, prix "Tout Compris" ....................................................... 18 000 FF H.T.
Pour un stand de 20 $m^2$, prix "Tout Compris" ....................................................... 27 500 FF H.T.

Toute autre formule avec les memes prestations peut être étudiée sur demande.

Prière de remplir complètement votre demande d'information, c'est ABSOLUMENT NÉCESSAIRE

M _____ FONCTION _____

FIRME _____

ADRESSE _____

CODE POSTAL ⌷⌷⌷⌷⌷⌷ VILLE _____ PAYS _____

TÉLÉPHONE _____ DATE _____

ACTIVITÉ:  ☐fabricant  ☐importateur  ☐grossiste  ☐distributeur-détaillant  ☐acheteur de centrale ou de groupement

**Est intéressé par le SALON INTERNATIONAL PROFESSIONNEL DES ARTS MÉNAGERS 198–**

☐ COMME EXPOSANT                                                    ☐ COMME VISITEUR

# UNIT 5

## Rencontre avec Mme Gaspart (1)

**Mme Gaspart**—Monsieur Reynolds, Bonjour – Enchantée de faire votre connaissance et je m'excuse de vous avoir fait attendre. J'espère qu'Isabelle s'est bien occupée de vous.

**Mr Reynolds** —Je vous en prie . . . Comme je disais à Mademoiselle, je ne suis pas du tout pressé car mon avion est à 16 heures cet après-midi et je n'ai pas d'autres rendez-vous.

**Mme Gaspart**—Si vous voulez bien me suivre . . . Mettez-vous à l'aise. Je vous débarrasse de votre manteau, peut-être. Il fait tellement chaud ici. Asseyez-vous, je vous prie.

**Mr Reynolds** —Je vous remercie . . . En effet il fait plus chaud ici qu'en Angleterre en ce moment.

**Mme Gaspart**—Vous êtes en France depuis longtemps?

**Mr Reynolds** —Depuis lundi matin, mais je ne suis pas resté dans la région parisienne. En fait, hier, j'étais à Lyon et j'ai eu la chance de voyager en T.G.V. pour la première fois.

**Mme Gaspart**—Et qu'est-ce que vous en pensez? Ça vous a plu?

**Mr Reynolds** —J'avoue que j'ai été impressionné, c'est tellement plus reposant que la voiture et tout aussi rapide que l'avion . . . Mais je ne suis pas venu vous voir pour vous vendre les services de la S.N.C.F.! Je crois qu'il vaudrait mieux que je vous dise qui je suis et qui je représente.
Je suis donc Alan Reynolds, chef des ventes de la maison William Bartlett . . . (*tend sa carte*). Excusez-moi, j'aurais dû vous donner ma carte plus tôt. Tenez..

**Mme Gaspart**—Si je comprends bien, d'après ce que m'a dit ma secrétaire, vous vous spécialisez dans la fabrication de meubles de style, n'est-ce pas?

**Mr Reynolds** —C'est ça. Notre maison a été fondée à la fin du 19e siècle et nous sommes solidement implantés sur le marché britannique d'autant plus que nous sommes situés à High Wycombe, ville très connue pour la fabrication des meubles. Pour vous prouver la notoriété de notre maison, nous avons reçu, il y a de ça quelque années, une délégation de l'Ecole Boule* de Paris. Je me souviens aussi qu'ils avaient visité le Départment Ebénisterie de l'établissement d'enseignement supérieur de notre ville.

**Mme Gaspart**—Je vois . . . c'est très intéressant . . . mais dites-moi . . Est-ce que vous pourriez me préciser où se trouve 'A oui comme'. J'ai honte de mon ignorance mais c'est la première fois que j'entends parler de 'A oui comme'. Est-ce que c'est loin de Londres?

---

* Ecole Boule: famous French furniture school in Paris

**Mr Reynolds** —Non, pas du tout – High Wycombe est situé au Nord-Ouest de Londres, à mi-chemin entre Oxford et Londres, sur l'autoroute M40. C'est à 30 miles de Londres, ce qui fait . . . disons . . . 60 km et l'aéroport de Heathrow n'est qu'à 35 minutes environ.

**Mme Gaspart** —Je vois . . . je vois . . . Donc, si je voulais vous rendre visite à "Aouicomme", je pourrais le faire en une journée?

**Mr Reynolds** —Parfaitement. Nous sommes vraiment très bien placés. Absolument aucun problème en ce qui concerne le transport.

### *Vocabulaire*

enchanté de faire votre connaissance, *very pleased to meet you*
faire attendre quelqu'un, *to keep someone waiting*
excusez-moi de vous avoir fait attendre, *I'm sorry I kept you waiting*
je vous en prie, *please do/don't mention it*
mettez-vous à l'aise, *make yourself comfortable*
asseyez-vous, je vous prie, *please sit down*
la région parisienne, *the Paris area*
la banlieue, *the suburbs*
les environs de Paris, *the area round Paris*
en banlieue, *in the suburbs*
dans les environs, *in the vicinity*
plaire (plu), *to please (pleased)*
plaisant(e), *pleasant*
ça me plaît, *I like it*
ça m'a plu, *I liked it*
le film vous a plu? *did you like the film?*
ce modèle vous plaît? *do you like this model?*
ce modèle plaît à notre clientèle, *our customers like this model*
il vaut mieux que je reste, *it's better if I stay*
il vaudrait mieux que je vous dise, *it would be better if I told you . .*
représenter une compagnie, *to represent a firm*
un(e) représentant(e), *a representative*
un agent, *an agent*
un stockiste, *a stockist*
un concessionnaire, *a dealer*
le distributeur, *distributor*
un vendeur, une vendeuse, *a salesman, saleswoman*
l'équipe des ventes, *sales team*
les services (m), *services*
les biens (m), *goods*
les biens de consommation, *consumer goods*
les biens de consommation durables, *consumer durables*
les biens d'équipement, *capital goods*

le chef des ventes,   *Sales Manager*
le chef des achats,   *Purchasing Manager*
le chef du personnel,   *Personnel Manager*
le chef de production,   *Production Manager*
fabriquer,   *to manufacture*
le producteur,   *producer*
le contrat,   *contract*
fonder = créer,   *to found, establish, set up*
s'implanter sur un marché,   *to establish oneself in a market*
l'implantation d'une firme,   *setting up of a company*
pénétrer le marché,   *to penetrate the market*
d'autant plus que,   *the more so . . . because*
la notoriété,   *fame, good reputation*
célèbre,   *famous*
bien connu(e),   *well-known*
préciser quelque chose,   *to give details*
le transport,   *transport*
transporter,   *to transport*
le transport, le fret,   *freight*
l'ébénisterie (f),   *cabinet making*
un ébéniste,   *cabinet maker*

## Exercises

***Exercise 1:* Avez-vous bien compris?**
**Essayez de répondre aux questions suivantes:**

1  De quoi s'excuse Madame Gaspart?

2  M. Reynolds est-il pressé?

3  M. Reynolds vient-il d'arriver à Paris?

4  Où a-t-il voyagé et par quel moyen de transport?

5  Quels sont les avantages du TGV?

6  Qui est Monsieur Reynolds?

7  Que fabrique la maison William Bartlett?

8  S'agit-il d'une société ancienne?

9  Où se trouve la ville de High Wycombe?

10  Quel est l'avantage primordial de la ville de High Wycombe?


***Exercise 2:* Comment diriez-vous en français?**

1  Delighted to meet you.

2 I am in a hurry, I have a plane to catch at 3 p.m.

3 May I have your coat?

4 How long have you been in England?

5 Did you enjoy Concorde?

6 Perhaps I should tell you who I am and about the company which I represent.

7 According to what she said to me . . .

8 We are well established in the south of England

9 Our company was founded twenty years ago.

10 He has never heard of that town.

11 It is half-way between Birmingham and Stratford-on-Avon.

12 As far as transport is concerned.

13 Our situation is excellent.

14 Thanks for giving me an appointment.

15 He showed me round the factory.

## Exercise 3: Practise – depuis

**Example**

| *I say:* | *You say:* |
| --- | --- |
| Il y a longtemps que je suis en France. | Je suis en France depuis longtemps. |

—Il y a trois jours que je suis ici.

—Il y a un mois qu'il est en France.

—Il y a deux mois que nous cherchons un fournisseur.

—Il y a trois ans qu'ils vendent ces meubles.

## Exercise 4: Practise – J'aurais dû – vour auriez dû

**Example**

| *I say:* | *You say:* |
| --- | --- |
| Vous ne m'avez pas donné votre carte. | Oui, j'aurais dû vous donner ma carte. |

—Je ne vous ai pas envoyé de télex.

—Vous n'avez pas fixé de rendez-vous pour demain.

—Je n'ai pas apporté le catalogue.

—Vous n'êtes pas arrivé à l'heure.

### *Exercise 5:* **Practise – J'ai eu la chance de**

**Example**

| *I say:* | *You say:* |
|---|---|
| Quelle chance! J'ai voyagé en T.G.V. | J'ai eu la chance de voyager en T.G.V. |

—Quelle chance! J'ai rencontré le Président.

—Quelle chance! J'ai trouvé le produit qu'il me faut.

—Quelle chance! Nous avons réussi à avoir le contrat.

—Quelle chance! Vous arrivez au bon moment.

### *Exercise 6:* **Practise – moins que**

**Example**

| *I say:* | *You say:* |
|---|---|
| Le café est plus fort que le thé | C'est exact, le thé est moins fort que le café |

—Le carton est plus fort que le papier.

—L'or est plus précieux que l'argent.

—Le transport aérien est plus cher que le transport maritime.

—Le marché américain est plus grand que le marché européen.

—Les télex sont plus rapides que les lettres.

### *Exercise 7:* **Practise – on a . .**

**Example**

| *I say:* | *You say:* |
|---|---|
| Notre maison a été fondée. | On a fondé notre maison. |

—Une liste de prix a été dressée.

—Un catalogue vous a été envoyé.

—La brochure leur a été montrée.

—Une chambre lui a été réservée.

—Une lettre nous a été adressée.

## Tasks

### *Task 1:* **Dialogue – Maintenant, à vous de jouer**
Mrs Heppell (you) has just been ushered into Madame Ferrand's office.

**Mme Ferrand**—Madame Heppell, bonjour, je suis ravie de faire votre connaissance.

(*Say that you too are delighted to meet her at last*)

**Mme Ferrand**—Je m'excuse de vous avoir fait attendre, j'espère que ma secrétaire s'est bien occupée de vous.

(*Say yes, you've had a very good lunch and you have enjoyed talking to her secretary, she has told you lots of interesting things about the company*)

**Mme Ferrand**—Parfait. Avez-vous fait bon voyage?

(*Say yes, the flight to Paris was very pleasant and quick but you found the train journey to Clermont-Ferrand long and tiring*)

**Mme Ferrand**—C'est exact. Il nous faudrait un T.G.V., comme sur la ligne Paris-Lyon. Nous pourrions peut-être commencer par une visite de l'entreprise.

(*Say yes please, you would very much like to have a guided tour of their company*)

**Mme Ferrand**—Si vous voulez bien me suivre . . .

An hour later they are back in Mme Ferrand's office.

**Mme Ferrand**—Eh bien, j'espère que cette petite visite vous a plu.

(*Say yes, it was very interesting. You were lucky to be able to talk to the sales manager for quite a while. He answered all your questions on the French market*)

**Mme Ferrand**—Madame Heppell, maintenant nous pourrions peut-être aborder la question qui nous intéresse. Pouvez-vous me parler un peu plus en détail de votre société?

(*Say, of course. The company was founded in 1975. It specialises in the production of cosmetics made with natural products only*)

**Mme Ferrand**—Et où se trouve votre société?

(*Say that it is based in a small town called Maidenhead, very near London*)

**Mme Ferrand**—Bénéficiez-vous d'un bon réseau de communications dans cette région?

(*Say yes, Maidenhead is very near the M4 and a few minutes from the M40. It is also only twenty minutes from Heathrow Airport*)

**Mme Ferrand**—Si l'aéroport est si près de Maidenhead, je suppose qu'il serait possible de visiter votre société à Maidenhead et de rentrer à Paris le jour même?

(*Say of course. That would be no problem at all. You would be delighted to organise such a visit for her*)

**Mme Ferrand**—Il est sans doute un peu prématuré de faire des projets de voyage. Revenons à votre société et à votre gamme de produits, si vous le voulez bien.

(*Say that you were about to give her more details on your markets*)

**Task 2**

Mme Gaspart wants to know more about Mr Reynold's journey to Lyons. Act the part of Mr Reynolds and talk about your journey and the company you visited:

—time and station of departure

—duration of the journey

—your impression of the T.G.V.

—met at the station by Mr Julien from the company Tissurama and taken to the factory by car

—factory outside Lyons, twenty minutes by car

—Tissurama one of your suppliers of material for over twenty years. Make particularly good fabric for seats.

—Had heard rumours about a take-over by a big textile company

—Tissurama is indeed going to be part of a big concern but it won't change anything in your business relationship

—Time of return – meal on the train

—impression of the meal.

**Task 3**

## TIFFANY

Copies d'ancien
et meubles régionaux
en chêne et merisier massifs,
patinés, cirés, chevillés.

| | | | | |
|---|---|---|---|---|
| PARIS | 75013 | 30 rue d'Italie | tel | 1.5.58.50.484 |
| ROUEN | 76000 | 2 avenue de Caen | tel | 35 62 52 74 |
| LILLE | 59000 | 12 rue de la paix | tel | 20 06 38 48 |
| LYON | 69720 | St. Bonnet | tel | 78 40 95 84 |
| MARSEILLE | 13003 | 12 place du port | tel | 40 04 74 56 |

Phone one of the numbers above and ask if they would send you a catalogue and a price list. Be prepared to spell out your name and address.

**Task 4**

They can send you a catalogue provided they receive an international postal order or a Eurocheque for 30F.

Write a letter to confirm the telephone conversation and enclosing the money.

# UNIT 6

## Rencontre avec Mme Gaspart (2)

**Mme Gaspart**—Je vois que vous avez apporté des brochures. Est-ce que je pourrais jeter un coup d'oeil?

**Mr Reynolds** —Je vous en prie . . . et . . . excusez-moi, j'aurais dû commencer par ça.

**Mme Gaspart**—Hum . . . j'ai des tas de questions à vous poser sur le produit mais auparavant j'aimerais que vous me parliez de votre compagnie.

**Mr Reynolds** —Bien volontiers . . . Eh bien – nous sommes ce que vous appelez ici en France une P.M.E. de type familial. Notre main-d'oeuvre varie entre 180 et 200 personnes. Pour le moment nous travaillons à plein rendement et nous n'avons aucun mal à recruter des ouvriers qualifiés. Nous avons plus ou moins atteint notre cible en ce qui concerne le marché britannique et c'est pour cette raison que nous voulons étendre nos activités vers l'étranger. Nous avons récemment racheté une petite fabrique de meubles en vue d'augmenter notre capacité de production et de commencer à exporter.

**Mme Gaspart**—Et qu'est-ce qui vous fait croire que vous avez des chances de réussir sur le marché français?

**Mr Reynolds** —Nous avons la chance d'avoir dans notre ville une école supérieure de commerce qui offre un service d'études de marché aux entreprises de la région. Nous avons fait appel à leurs services et les résultats de l'étude de marché qu'ils ont effectuée en France démontrent qu'il existe une demande assez importante pour ce genre de produit.

**Mme Gaspart**—Je ne suis pas particulièrement surprise car depuis quelques années il existe un véritable engouement pour les produits britanniques . . . Je ne sais pas pourquoi . . . Dans le domaine des meubles et de la décoration, les goûts et les modes changent presqu'aussi vite que dans l'habillement . . . Enfin . . . Dites-moi, avez-vous l'intention d'exporter seulement en France, ou envisagez-vous la même démarche dans tous les pays de la communauté?

**Mr Reynolds** —Non. Nous allons commencer par la France, pour plusieurs raisons.
Tout d'abord, nous avons plusieurs personnes qui parlent le français et qui connaissent bien la France. D'autre part nous traitons déjà avec la France pour nos fournitures de tissus et résines et enfin le transport Londres-Paris est facile et relativement bon marché . . . Je dis Londres-Paris car nous envisageons de trouver un distributeur ou agent dans la région parisienne.

**Mme Gaspart**—Quand vous parlez d'agent ou de distributeur, voulez-vous dire par là que vous êtes disposé à accorder l'exclusivité de votre marque?

**Mr Reynolds** —A la rigueur. Tout dépend de l'importance du marché qu'un distributeur serait à même de nous garantir.

**Mme Gaspart**—Si, à l'issue de nos négociations, nous décidons de traiter avec vous, nous exigerons l'exclusivité de la marque. Nous avons l'exclusivité de toutes les marques que nous vendons. C'est la politique de notre compagnie et c'est une politique qui marche.

**Mr Reynolds** —D'après les informations que j'ai recueillies sur votre maison, vous vous spécialisez dans la vente de meubles Louis XV, Louis XVI, Empire etc.

**Mme Gaspart**—C'est exact mais nous avons l'intention d'étendre notre gamme pour répondre justement aux goûts nouveaux de notre clientèle. Seulement, nous voulons nous limiter à un certain style de meubles. Nous recherchons un produit haut de gamme, de très bonne qualité dans les styles 18e et Régence.

**Mr Reynolds** —Nos produits répondent exactement à vos exigences. Comme vous pouvez le constater tous nos meubles sont de style 18e et Régence. C'est d'ailleurs l'époque qu'on a qualifiée 'd'âge d'or' des meubles anglais.

**Mme Gaspart**—A en juger par les photos de vos meubles, car je ne comprends pas les descriptions en anglais, vous semblez n'utiliser que de l'acajou.

**Mr Reynolds** —C'est ça. Acajou et autres bois durs du même type.

**Mme Gaspart**—Et où vous fournissez-vous en bois?

**Mr Reynolds** —Nous importons nos matières premières d'Asie du Sud-Est et d'Afrique de l'Ouest.

**Mme Gaspart**—Ne pensez-vous pas que la qualité de l'acajou n'est pas aussi belle qu'autrefois? Je ne sais pas à quoi ça tient mais le grain n'est pas aussi fin. On n'arrive plus à obtenir la même patine . . .

**Mr Reynolds** —Vous n'aurez pas ce genre de problème avec nos meubles car nous coupons nous-mêmes le bois que nous utilisons et nos techniques de coupe nous permettent de tirer parti au maximum de la beauté naturelle du bois.

**Mme Gaspart**—Ah! Là! vous m'intéressez, car je suppose que le séchage se fait aussi dans votre usine.

**Mr Reynolds** —Exactement. Tout le procédé de transformation, de l'achat des troncs d'arbre au meuble fini se fait chez nous.

**Mme Gaspart**—C'est un point très important, car, voyez-vous, une grande partie de nos réclamations portent sur le séchage du bois. Les gens se plaignent que leurs meubles travaillent beaucoup. Il est temps que les fabricants tiennent compte du chauffage central!

**Mr Reynolds** —Nous apportons un soin tout particulier au séchage et je peux vous garantir que vous n'aurez pas d'ennuis dans ce domaine.

## *Vocabulaire*

avoir des tas de choses à faire,   *to have loads of things to do*
une P.M.E: (une petite-moyenne entreprise),   *a small middle-sized company*
la main-d'oeuvre,   *labour-force, manpower*
le personnel,   *staff*
les effectifs (m),   *the number of employees on the payroll*
avoir du mal à faire quelquechose,   *to have difficulty in doing something*
les ouvriers qualifiés,   *skilled workers*
les ouvriers non qualifiés,   *unskilled workers*
le contre-maître,   *foreman*
les cadres,   *managerial staff*
la direction,   *top management (decision makers)*
travailler à plein rendement,   *to work at full capacity*
recruter du personnel,   *to recruit staff*
atteindre une cible,   *to reach a target*
étendre, élargir ses activités,   *to expand, broaden one's activities*
racheter une firme,   *to take over a company*
la capacité de production,   *production capacity*
une étude de marché,   *a market survey*
effectuer une étude de marché,   *to carry out a market survey*
faire appel à,   *to use the services of*
démontrer, révéler, prouver,   *to show, reveal, prove*
la demande/l'offre,   *demand/supply*
un engouement,   *craze, fashion*
l'habillement (m),   *clothing trade,*
la confection,   *ready-made clothes*
une démarche,   *a course of action*
traiter avec,   *to deal with, do business with*
les fournitures (f),   *supplies*
un tissu, une étoffe,   *a fabric, a material*
bon marché,   *cheap, inexpensive*
cher, onéreux,   *dear, costly*
envisager de/avoir l'intention de faire quelque chose,   *to intend to do something*
une marque,   *a brand (name)*
l'importance du marché,   *the size of the market*
être à même de/être en mesure de faire quelque chose,   *to be in a position to do something*
à la rigueur,   *if need be, if we have to*
une gamme de produits,   *a product range*
étendre une gamme de produits,   *to extend a product range*
à l'issue de,   *at the end of*
un produit haut de gamme,   *a top of the range product*
un produit bas de gamme,   *a bottom of the range product*
de bonne qualité/de mauvaise qualité,   *good quality/bad quality*
répondre aux goûts (m), aux besoins (m), aux exigences (f),   *to satisfy, meet the needs (of) demands (of)*
la politique,   *policy*

comme vous pouvez le constater,   *as you can see . . .*
à en juger par,   *judging by . . .*
l'acajou (m),   *mahogany*
la patine,   *the patina*
les matières premières,   *raw materials*
le séchage,   *drying, seasoning (of wood)*
la coupe,   *cutting*
tirer parti de quelque chose,   *to make the most of something*
le procédé de transformation,   *processing*
une réclamation, une plainte,   *a complaint*
réclamer, faire une réclamation, se plaindre,   *to complain*
apporter un soin à,   *to take extra care with*
prendre soin de,   *to take care of*
avoir des ennuis (m), des problèmes,   *to have problems*


## Exercises

*Exercise 1:* **Avez-vous bien compris?**
**Essayez de répondre aux questions suivantes:**

1  Qu'est-ce que Madame Gaspart demande de faire?

2  William Bartlett, c'est quel type de société?

3  Combien d'employés y a-t-il dans la société?

4  Comment marchent les affaires?

5  Pourquoi les directeurs de la société veulent-ils étendre leurs activités à l'étranger?

6  Qu'est-ce qu'ils viennent de faire?

7  Pour quelles raisons?

8  Qu'est-ce qui leur fait penser qu'ils ont des chances de réussir à exporter en France?

9  Pourquoi ont-ils choisi d'exporter d'abord en France?

10  En ce qui concerne la distribution, qu'est-ce que Madame Gaspart exigera?

11  Dans quoi la Société Meublat se spécialise-t-elle?

12  Pourquoi la Société Meublat songe-t-elle à élargir sa gamme de meubles?

13  Pouvez-vous donner des précisions sur le type de meubles que recherche la Société Meublat?

14  Ces exigences conviennent-elles à Monsieur Reynolds?

15  Dans la description que fait Monsieur Reynolds de la fabrication des meubles William Bartlett, qu'est-ce qui séduit Madame Gaspart?

## *Exercise 2:* **Comment diriez-vous en français?**

**1** May I have a look at your brochures?

**2** He should have given them to you yesterday.

**3** Could you tell me a little more about your company?

**4** It is a family firm.

**5** It is easy to recruit skilled workers.

**6** They work to full capacity.

**7** They wish to widen their activities.

**8** We have reached our home target.

**9** We have carried out a market study.

**10** They already deal with Spain.

**11** You must be in a position to deliver on time.

**12** At the conclusion of our negotiations.

**13** If need be.

**14** Up market products (top of the range products).

**15** You will have no problem about that.

## *Exercise 3:* **Practise – present subjunctive (use the pronouns given)**
**Example**

| *I say:* | *You say:* |
| --- | --- |
| parler de la compagnie (*vous*) | J'aimerais que vous parliez de la compagnie. |

—jeter un coup d'oeil aux brochures (*vous*)

—recruter deux secrétaires (*nous*)

—exporter en France (*ils*)

—racheter une entreprise (*nous*)

—augmenter la capacité de production (*vous*)

—téléphoner à l'Ecole de Commerce (*elle*)

—finir l'étude de marché (*nous*)

—commencer par la France (*vous*)

—traiter avec la compagnie Boisdur (*nous*)

—acheter les fournitures au Japon. (*ils*)

—vendre ce produit en Norvège. (*vous*)

*Exercise 4:* **Practise – future tense**

**Example**

| *I say:* | *You say:* |
|---|---|
| J'ai peur d'avoir des ennuis. | Je peux vous garantir que vous n'aurez pas d'ennuis. |

—J'ai peur d'arriver en retard.

—J'ai peur de rater l'avion.

—J'ai peur de faire des erreurs.

—J'ai peur d'être ridicule.

## Tasks

*Task 1:* **Dialogue – Maintenant, à vous de jouer**

Madame Heppell est dans le bureau de Madame Ferrand (suite)

(*Say that your firm is very well-known in Britain but now that you have reached your target home market share you would like to expand and start exporting to France*)

**Mme Ferrand**—Comment savez-vous qu'il y a une demande pour vos produits sur le marché français?

(*Say that the results of the market research you had done show that French people want more natural products*)

**Mme Ferrand**—C'est exact, depuis quelque temps les produits naturels sont très à la mode. Nous voulons profiter de cette situation pour augmenter notre part de marché. De plus, les produits de beauté britanniques ont une très bonne réputation.

(*Say your products sell very well on the home market. You now have 52 points of sale and are about to open two new shops*)

**Mme Ferrand**—Justement, nous recherchons des produits haut de gamme. Quels produits avez-vous à nous proposer?

(*Say that you have a catalogue here. But you also offer a small range of products especially for exporting*)

**Mme Ferrand**—Vous permettez que je consulte votre catalogue?

(*Say – please do*)

**Task 2**
William Bartlett intends to carry out market research interviews in France. Your Managing Director has asked you to translate the questionnaire into French to try and assess the popularity of English reproduction furniture amongst French people.

# QUESTIONNAIRE

I am carrying out a market research for a manufacturer of English reproduction furniture. Would you be so kind as to answer a few questions? It won't take more than a couple of minutes.

1 Do you have English reproduction furniture in your home?

☐ Yes
☐ No (go to question 6)

2 What sort of English furniture do you have?

☐ dining room
☐ sitting room
☐ study
☐ other

3 Where did you buy it?

☐ Great Britain
☐ Department Store
☐ Furniture store
☐ Mail order
☐ Other

4 What do you like about English furniture?

☐ Design
☐ Quality
☐ Variety

☐ Size
☐ Wood
☐ Other

**5  Do you plan to buy more?**

☐ Yes
☐ No

**6  Have you ever seen English reproduction furniture?**

☐ Yes
☐ No (go to question 12)

**7  Where did you see it?**

☐ Great Britain
☐ Furniture Store
☐ Exhibition
☐ Television
☐ Magazine
☐ Other

**8  What is your opinion of it?**

☐ Poor (finish interview)
☐ Average
☐ Good
☐ Very good
☐ Excellent

**9  Why don't you have any?**

☐ Price
☐ Availability
☐ Unsuitability
☐ No need

**10  Do you think you'll buy some one day?**

☐ Yes
☐ No (finish the interview)

**11** What sort of price would you be prepared to pay for a dining room table, for example?

☐ less than 5000 F
☐ between 5000 and 10,000 F
☐ more than 10,000 F

(*Show catalogue*)

**12** What is your opinion of the catalogue?

☐ Poor
☐ Average
☐ Good
☐ Very good
☐ Excellent

# Consumer Profile

**Sex** ☐ Male
☐ Female

**Are You:** ☐ Less than 25?
☐ between 25 and 40?
☐ between 40 and 50?
☐ over 50?

**What is your occupation?**.........................................................................

**Do you earn:** ☐ less than 8000 F?
☐ between 8000 and 15,000 F?
☐ between 15,000 and 30,000 F?
☐ more than 30,000 F?

**Where do you live?** .........................................................................

Thank you for your time.

### Task 3
You have been so encouraged by the answers given to you that the company would like to send a written questionnaire to the main French distributors of furniture.

In order to obtain a list of the main distributors, write a letter to the Chamber of Commerce requesting the necessary information.

# UNIT 7

Jump to next chap.

# Rencontre avec Mme Gaspart (3)

**Mme Gaspart**—(*regarde le catalogue*) Votre gamme est très étendue. Est-ce que l'étude de marché a fait ressortir des préférences pour certains meubles car dans un premier temps, je ne pense pas que l'on puisse stocker un nombre aussi important de marchandises? Le stockage est notre casse-tête numéro 1.

**Mr Reynolds**—Avez-vous des entrepôts en dehors de Paris?

**Mme Gaspart**—Oui, à Tours et à Lyon et nous espérons pouvoir en ouvrir un troisième à Lille. Nous avons deux problèmes majeurs: la place et le financement des stocks. Et c'est pour ça que j'aimerais savoir si, parmi vos produits, il y en a qui risquent de mieux marcher que d'autres.

**Mr Reynolds**—Malheureusement, l'étude de marché n'était pas suffisamment détaillée pour faire ressortir ces renseignements.

**Mme Gaspart**—Je crois que la meilleure façon de procéder – la moins risquée aussi – serait de commencer par les petits meubles. Quand les Français habitaient la campagne ils achetaient de gros meubles; maintenant qu'ils habitent dans des appartements ils préfèrent les petits meubles, faciles à caser et à déménager.

**Mr Reynolds**—C'est la même chose chez nous. Les nouvelles constructions sont si petites et les plafonds si bas! C'est d'ailleurs pour ça que nous avons adapté les dimensions de nos meubles. Ils sont généralement moins larges et moins hauts que les originaux.

**Mme Gaspart**—Oui, vos salles à manger sont très belles mais beaucoup trop grandes. Je vais me limiter aux petits modèles, ce qui m'amène à la question cruciale: le prix.

**Mr Reynolds**—J'ai ici une liste de prix anglais sortie d'usine.

**Mme Gaspart**—Si je prends le prix de cette table référence C537. Elle fait £105 sortie d'usine, ce qui fait – attendez, je sors ma calculatrice–cent cinq livres multiplié par neuf – la livre est à 9F n'est-ce pas?

**Mr Reynolds**—Disons qu'elle varie entre 9 et 10 F, ce qui pose toujours un problème. Ce que je vous propose, c'est de prendre la moyenne des cours des 6 derniers mois, ce qui se situe à 9F50.

**Mme Gaspart**—Vous dites donc £105 × 9.50 (*tape les chiffres*); ça fait 997.50F. A cela il faut ajouter le transport et l'assurance, soit environ 7%, ce qui nous donne un prix franco-domicile de 1067F. Disons 1100F pour arrondir. Hum!. . .ça fait cher.

**Mr Reynolds**—Cher par rapport à quoi?

**Mme Gaspart**—Cher par rapport à la concurrence. Prenons le cas des meubles espagnols. Cette table par example ne reviendrait pas à plus de 900 F.

**Mr Reynolds** —Oui, mais vous m'avez parlé d'un engouement pour les produits britanniques. Les nôtres sont authentiques et de qualité supérieure. Il faut comparer ce qui est comparable! Vous m'avez bien précisé que vous recherchez un produit britannique qui serait compatible avec votre gamme française.

**Mme Gaspart**—Il faut avouer que ces engouements sont difficiles à prévoir et à quantifier. Ecoutez . . . je ne vous cacherai pas que vos produits me plaisent, mais avant d'aller plus loin dans les négociations j'aimerais aller vous rendre visite à High Wycombe.

**Mr Reynolds** —Excellente idée! Je me ferai un plaisir de vous recevoir et de vous faire visiter notre usine. Quand vous serait-il possible de venir nous voir?

**Mme Gaspart**—(*feuillette agenda*). Attendez . . . nous sommes le 8 n'est-ce pas? . . . pas la semaine prochaine, je suis au Salon du Meuble, ni la semaine d'après, ce qui nous amène à la dernière semaine de juin. Est-ce que ça vous conviendrait?

**Mr Reynolds** —(*consulte son agenda*). Parfait! Nous disons donc dernière semaine de juin et vous me communiquerez la date exacte par télex? Est-ce que vous comptez rester plusieurs jours ou est-ce que vous ferez le voyage dans la journée?

**Mme Gaspart**—Eh bien, si on peut se passer de moi ici, j'en profiterai peut-être pour me familiariser avec l'Angleterre. On verra . . .

**Mr Reynolds** —Je vous remercie beaucoup d'avoir bien voulu me recevoir et de m'avoir consacré autant de temps.

**Mme Gaspart**—Je suis très heureuse d'avoir fait votre connaissance et j'espère très sincèrement que nous pourrons travailler ensemble.

**Mr Reynolds** —(*tend la main*) Au plaisir de vous revoir en Grande-Bretagne. Au revoir.

**Mme Gaspart**—Au revoir et bon voyage!

**C.456** Oval Drop-Leaf Dining Table. Fitted two drawers. Closed 31″ (79cm) x 34″ (86cm), opening to 60″ (152cm) x 34″ (86cm).

**C.483** Gate-Leg Dining Table. Closed 36″ (91.5cm) long, 13″ (33cm) wide, opening to 60″ (152.5cm).

**C.537** Breakfast Table. 39⅜″ (100cm) diameter, 30″ (76cm) high.

**C.570** Dining Table. Closed 72″ (183cm) long, 37″ (94cm) wide, opening to 91¾″ (233cm).

**C.587** Dining Table. Closed 78¾″ (200cm) long, 43¼″ (110cm), opening to 108¼″ (275cm).

**C.572** Dining Table. Closed 60″ (152cm) long, 35″ (89cm) wide, opening to 74″ (188cm).

C.456

C.570

C.483

C.587

C.537

C.572

### *Vocabulaire*

dans un premier temps,   *to begin with*
stocker,   *to stock*
le stockage,   *stocking*
en stock,   *in stock*
en rupture de stock,   *out of stock*
livrer sur stock,   *to deliver ex-stock*
stocks épuisés,   *out of stock*
un casse-tête,   *problem (lit. headache)*
un entrepôt,   *warehouse*
un magasin,   *shop*
un magasinier,   *warehouseman*
un gestionnaire des stocks,   *stock controller*
les finances (f),   *finance*
le financement,   *financing*
faire ressortir,   *to show, to bring out*
financer,   *to finance*
déménager,   *to move*
un déménagement,   *removal*
prix sortie d'usine,   *ex-works price*
prix F.O.B.,   *F.O.B. price*
prix C.A.F.,   *C.I.F. price*
prix C.F.,   *C.F. price*
une liste de prix,   *a price list*
prix franco domicile,   *free delivery*
proposer un prix,   *to offer a price*
augmenter un prix,   *to increase a price*
baisser un prix,   *to lower a price*
réduire un prix,   *to reduce a price*
le taux de change,   *exchange rate*
le cours du franc,   *exchange rate for the franc*
l'assurance (f),   *insurance*
contracter une assurance,   *to take out insurance*
une police d'assurance,   *an insurance policy*
assurer – (s) assurer contre,   *to insure against*
une compagnie d'assurance,   *an insurance company*
un assureur,   *an insurance agent*
le transport routier, aérien,   *road transport, air transport*
le transport maritime,   *sea transport*
le transport ferroviaire,   *rail transport*
le transitaire,   *forwarding agent*
le transporteur,   *transporter*
ça fait cher,   *that's expensive*
revenir à,   *to come to*
la concurrence,   *competition*
faire concurrence à,   *to compete with*
un concurrent,   *a competitor*

rivaliser avec,   *to be in competition with*
compétitif,   *competitive*
battre la concurrence,   *to beat the competition*
l'emporter sur la concurrence,   *to get the better of the competition*
je me ferai un plaisir de . . .,   *I'll be delighted to . . .*
faire l'inventaire (m),   *to do the stocktaking*
se familiariser avec,   *to get to know*
mettre en avant,   *to put forward*
au plaisir de . . .,   *looking forward to . . .*

## Exercises

### *Exercise 1:* **Avez-vous bien compris?**
**Essayez de répondre aux questions suivantes:**

1 Pourquoi Mme Gaspart ne peut-elle envisager de vendre toute la gamme de meubles de la société William Bartlett?

2 Pouvez-vous préciser pourquoi?

3 Monsieur Reynolds, sait-il quels sont les meubles susceptibles de plaire le plus aux Français?

4 Que suggère Mme Gaspart?

5 Pour quelles raisons?

6 Comment Mme Gaspart calcute-t-elle le prix d'une petite table de la collection de Monsieur Reynolds?

7 Est-elle satisfaite du résultat de son calcul?

8 A quoi compare-t-elle le prix de la table?

9 Quel est l'argument que Monsieur Reynolds met en avant pour essayer de convaincre Mme Gaspart?

10 Que propose Mme Gaspart?

11 Quand Mme Gaspart va-t-elle aller à High Wycombe?

12 Va-t-elle faire l'aller-retour en une journée?

### *Exercise 2:* **Comment diriez-vous en français?**

1 Advertising is our headache!

2 These products are the most likely to be successful.

3 Let's start with a few small items.

4 Here is our price list ex-works.

**5** We can round the price up to £150.

**6** French perfumes are all the rage.

**7** This sideboard would not cost me more than 2000F.

**8** It takes us up to the second week in July.

**9** I look forward to seeing you in Birmingham next month.


*Exercise 3:* **Practise – je ne pense pas que . . .**

**Example**

| *I ask:* | *You reply:* |
|---|---|
| Pensez-vous qu'il viendra au Salon du Meuble? | Non, je ne pense pas qu'il vienne au Salon. |

—Pensez-vous que vous pourrez stocker toute la livraison?

—Pensez-vous que la livre baissera avant la fin de l'année?

—Pensez-vous qu'il paiera les frais de transport?

—Pensez-vous que ce sera la meilleure solution?

—Pensez-vous qu'il aura des difficultés à se faire comprendre?

—Pensez-vous qu'il aura ajouté le transport et l'assurance?

—Pensez-vous que nos produits plairont à la clientèle française?


*Exercise 4: Practise* – **En**

**Example**

| *I ask:* | *You reply:* |
|---|---|
| Avez-vous parlé de la visite? | Oui, j'en ai parlé. |

—Avez-vous profité de la réduction?

—A-t-il bénéficié de l'offre spéciale?

—Ont-ils entendu parler d'une baisse du franc?

—Avez-vous discuté des prix?


*Exercise 5:* **Practise – numbers**

Close your book. Make a note of the French figures. Check it when you hear the English.

*I say in French:*

C'est la référence 537
C'est la référence 971
C'est la référence 408
C'est la référence 664

Ça fait 12,000 F
Ça fait   9600 F
Ça fait 15,850 F
Ça fait 75,800 F
Ça fait 45,970 F
Ça fait   1370 F
Ça fait     976 F
Ça fait     348 F

*You repeat in English:*

It is reference 537
It is reference 971
It is reference 408
It is reference 664

It comes to 12,000 F
It comes to   9600 F
It comes to 15,850 F
It comes to 75,800 F
It comes to 45,970 F
It comes to   1370 F
It comes to     976 F
It comes to     348 F

## *Exercise 6:* Practise – numbers

**Example**
*I say:*
Ça coûte 1000 F

*You say:*
Comme la livre est à 10F ça fait £100.

— Ça coûte 25,000 F

— Ça coûte 75 F

— Ça coûte 10,000 F

— Ça coûte 125,000 F

— Ça coûte 2,500 F

— Ça coûte 10 F

— Ça coûte 4,800 F

**Example**
*I say:*
Ça coûte £100

*You say:*
Comme la livre est à 10 F ça fait 1.000 F

— Ça coûte £1500.

— Ça coûte £10,000

— Ça coûte £8

— Ça coûte £75

— Ça coûte £2750

— Ça coûte £15,250

— Ça coûte £100,000

## Tasks

### Task 1: Dialogue – Maintenant, à vous de jouer
Mrs Heppell (you) is still in Madame Ferrand's office.

**Mme Ferrand**—Madame Heppell, votre gamme de produits est vraiment très complète, le conditionnement est très attrayant et je pense que votre ligne export devrait plaire à nos clients.

(*Ask if they are thinking of carrying out a product survey or test with a limited number of their customers. If so, you could provide them with samples*)

**Mme Ferrand**—C'est absolument indispensable pour repérer les produits qui risquent de mieux marcher. Pour effectuer ce test nous aurons évidemment besoin d'échantillons.

(*Say this presents no problems at all. Perhaps when she comes to a decision she could let you know. If she decides to visit England, she could always bring them back with her*)

**Mme Ferrand**—Je dois avouer que l'idée d'une petite visite à Maidenhead me séduit. Je suis très prise ce mois-ci mais ce serait peut–être possible début septembre.

(*Say that the beginning of September would suit you too. You will have to check with your colleagues. Ask her if she would like to go back to France the same day or whether she could stay a little longer*)

**Mme Ferrand**—Je ne peux pas vous répondre tout de suite mais je vous téléphonerai dès que j'aurai pris ma décision.

(*Say that you will be at her disposal and will be delighted to act as her guide*)

### Task 2
Madame Gaspart sends a telex to Mr Reynolds to let him know that she is planning to go to England on Tuesday 23rd June and return the next day if it is convenient for him. She would also like a hotel room to be booked for Tuesday night in High Wycombe. Write the telex.

### Task 3
Phone Mrs Gaspart to let her know that the dates are OK and ask her the type of room she wants for the 23rd and the kind of hotel–big international type at £40 per night or small family hotel at £15 per night. Would she also confirm time of arrival and flight number so that someone can meet her at the airport.

**Task 4**
*Telex:*


```
ATTENTION:  MR REYNOLDS

JE CONFIRME MON ARRIVEE A L'AEROPORT DE HEATHROW A 9H,
VOL AF 454.

AU PLAISIR DE VOUS VOIR.
SALUTATIONS
MADAME GASPART
MEUBLAT S.A.
```


Mr Reynolds phones Madame Gaspart to let her know that he won't be able to meet her at the airport as arranged. The chauffeur of the company will be waiting for her. He will be carrying a sign with the name William Bartlett on it. Make the phone call.


**Task 5**
Mr Reynolds welcomes Madame Gaspart to his Company and introduces her to his Managing Director. He will also act as interpreter between Madame Gaspart and the M.D. Act the part of Mr Reynolds.


**MD** —I am very pleased to meet you Mrs Gaspart. Did you have a good journey?

**Mme G**—Très bien merci et je n'ai eu aucune difficulté à trouver votre chauffeur.

**MD** —Did you manage to understand each other? I know his French is not very good.

**Mme G**—Oh oui, on s'est débrouillés mais je sens qu'il va falloir que je me remette à l'anglais.

**MD** —Perhaps you would like a cup of coffee while you look through this programme we have arranged for you.

**Mme G**—Avec plaisir. Je vois que vous avez prévu une visite de l'usine ce matin. J'espère que j'aurai le temps de voir tout le procédé de transformation, de la coupe du bois au meuble fini.

**MD** —Of course, you can even see the wood seasoning if you like. Naturally we can't show you the felling of the trees, as we get our supplies from Africa!

**Mme G** —A défaut d'Afrique . . . je vois que nous allons déjeuner dans un pub à Marlow. Est-ce que c'est loin d'ici?

**MD** —No, it is just ten minutes by car, we thought you would enjoy a typically English scene by the Thames.

**Mme G** —Je suis ravie. J'ai tellement entendu parler de ces pubs!

**MD** —After lunch, we'll come back here to look round the showroom and then we thought we would take you to our stockist in High Wycombe to see how our furniture is displayed.

## Written Summative Assignment

Mme Gaspart sends a memo to her Managing Director summing up the following points covered in her meeting with Mr Reynolds:

—who Mr Reynolds is and her impression of him

—the size and nature of the company he works for – its current plans for expansion, the market research it has commissioned, its location

—the range of products made by his company and the manufacturing process involved

—her favourable impression of his company; the reason for this

—her intention to visit England

Write this memo **in French** without reference to notes.

# UNIT
## 8

## Coup de fil de France

Coup de fil de France pour confirmer à M. Reynolds les dates de son séjour et la réservation de sa chambre à l'Hôtel Jean Bart, rue Jean Bart dans le 6ème arrondissement.

**Mme Gaspart**—Allo Isabelle, appelez-moi s'il vous plaît le numéro de William Bartlett en Angleterre. Je crois que l'indicatif de la ville de High Wycombe est le 494. Demandez-moi le poste 25.

**Isabelle**      —Oui, Madame, veuillez raccrocher, je vous rappelle dans un instant.

*(Pause)*          Allo, Madame, la ligne de votre correspondant sonne "occupé", je vais essayer de rappeler dans quelques instants . . . . Allo, votre correspondant, M. Reynolds, est en ligne.

**Mr Reynolds** —Ah c'est vous Madame Gaspart. Bonjour, comment allez-vous? Je suis ravi de vous entendre.

**Mme Gaspart**—Bonjour. Je vous appelle pour vous confirmer que je vous ai réservé une chambre à l'Hôtel Jean Bart dans le 6ème arrondissement à partir du 20 juillet.

**Mr Reynolds** —Comment? Vous n'avez pas reçu notre télex? Je vous annonçais que je ne pourrais pas venir le 20 juillet comme prévu, mais le 25, car je dois régler une affaire urgente à Madrid. J'espère que ce changement ne va pas vous poser trop de problèmes.

**Mme Gaspart**—Non, pas du tout, M. Reynolds. Nous allons annuler votre réservation et essayer de vous obtenir une chambre pour les nuits du 25 et du 26 à l'Hôtel Jean Bart.

**Mr Reynolds** —Allo . . . Nous avons été coupés! Il y a de la friture sur la ligne. Que disiez-vous?

**Mme Gaspart**—Je disais que j'allais vous réserver une chambre à l'Hôtel Jean Bart. Si l'hôtel est complet je vous expédierai un télex pour vous donner les coordonnées d'un autre hôtel.

**Mr Reynolds** —Parfait. A très bientôt donc. Merci de votre coup de fil.

**Mme Gaspart**—Au plaisir de vous voir à Paris le 25. Au revoir.


### Vocabulaire

l'indicatif (m) de H.W.,   *code for H.W.*
le poste 25,   *extension number 25*
comme prévu,   *as arranged*
annuler,   *to cancel*
une annulation,   *a cancellation*
je suis désolé,   *I'm sorry*

je suis ravi,   *I'm delighted*
il y a de la friture sur la ligne,   *it's a bad line*
verser des arrhes (f),   *to pay a deposit*
envoyer des arrhes,   *to send a deposit*

## Exercises

### *Exercise 1:* Avez-vous bien compris?
### Essayez de répondre aux questions suivantes:

1 Pourquoi Madame Gaspart téléphone-t-elle à M. Reynolds?

2 Que répond M. Reynolds?

3 Pourquoi M. Reynolds a-t-il dû changer les dates de son séjour à Paris?

4 Que va faire Madame Gaspart?

5 Pourquoi M. Reynolds a-t-il des difficultés à comprendre ce que dit Madame Gaspart?

6 Dans quel hôtel Monsieur Reynolds va-t-il descendre?

### *Exercise 2:* Comment diriez-vous en français?

1 Please put me through to extension 253.

2 I shall call back in half an hour.

3 We shall arrive at 2.30 p.m. as planned.

4 Will you please cancel my reservation for July 14th?

5 She has urgent business to settle before leaving England.

6 I have been cut off.

7 Please give me all the details concerning the hotel.

8 I hope that this won't be too much of a problem for you.

### *Exercise 3:* Practise – object pronouns le, la, les

**Example**
*I ask:*                                    *You reply:*
Avez-vous fait la réservation?              Non, je ne l'ai pas faite.

—Avez-vous reçu le télex?

—Avez-vous donné vos coordonnées?

—Avez-vous envoyé l'offre?

—Avez-vous expédié le télégramme?

—Avez-vous rencontré Mr. Reynolds?

—Avez-vous annulé votre rendez-vous?

—Avez-vous fini les préparatifs?

—Avez vous changé vos plans?

—Avez-vous réglé l'affaire?

—Avez-vous obtenu le poste 450?

### *Exercise 4:* Practise – imperfect and present conditional

**Example**

*I ask:*
Vous ne viendrez pas le 20 juillet?

*You reply:*
Dans ma lettre je vous disais que je ne viendrais pas le 20 juillet.

—Vous n'assisterez pas à la conférence?

—Vous n'irez pas en Grande-Bretagne?

—Vous ne resterez pas jusqu'au 16 avril?

—Vous ne reviendrez pas le mois prochain?

—Vous ne baisserez pas vos prix?

—Vous ne vous occuperez pas du transport?

—Vous ne vous chargerez pas de l'organisation?

### *Exercise 5:* Practise – imperfect and conditional with si

**Example**

*I say:*
Si l'hôtel est complet, je vous enverrai un télex.

*You say:*
Si l'hôtel était complet, je vous enverrais un télex.

—S'il fait beau, nous irons au Jardin du Luxembourg.

—Si c'est nécessaire, je donnerai vos coordonnées.

—Si nous pouvons, nous réglerons l'affaire par téléphone.

—Si c'est possible, je changerai la date.

A) 65 23 56 08 Darling

B) 37 43 72 18

C) 98 32 27 15

D) 49 70 71 10

E) 54 44 14 41    54 44 15 51

N

$2.5 / mg \, Wt. \times 5 = $12.50

## Tasks

### *Task 1:* Dialogue – Maintenant, à vous de jouer!

You are ringing from England to book a room in Clermont-Ferrand. Use your own name.

**Réceptionniste**—Hôtel du Midi, bonjour.

(*Say hello and introduce yourself*)

**Réceptionniste**—Excusez-moi, pourriez-vous épeler votre nom?

(*Say yes, of course (. . . . . .). Add that you are calling from England*)

**Réceptionniste**—Vous désirez?

(*Say that you are coming to Clermont-Ferrand on business next week. You will arrive late on Tuesday, March 21st from Paris; have they got a room free for that night?*)

**Réceptionniste**—Quel type de chambre voulez-vous?

(*Say that you would like a single room with a bathroom*)

**Réceptionniste**—Un instant, je vous prie . . . Eh bien, nous avons une chambre avec salle de bain à 180F. Est-ce que cela vous convient?

(*Say yes, it's fine. Ask if they need a written confirmation or a deposit.*)

**Réceptionniste**—Oui, nous aimerions que vous nous versiez 100F d'arrhes. Nous avons eu beaucoup de problèmes récemment à cause d'annulations de réservations et de clients qui ne prennent même pas la peine de nous prévenir qu'ils ne viendront pas.

(*Say that you will send a deposit today and ask for directions to the hotel. You have been told that it is near the station, is that correct?*)

**Réceptionniste**—Oui, . . . en sortant de la gare vous verrez l'Hôtel du Midi juste en face de vous.

(*Say fine. See you on March 21st. Goodbye*)

**Réceptionniste**—Au revoir, M . . . . .

### *Task 2*

Write the telex that Mme Gaspart didn't receive.

### *Task 3*

Mme Gaspart sends a telex to Mr. Reynolds to tell him:

—Hôtel Jean Bart is fully booked–has reserved a single room in the Hôtel du Globe, Boulevard St Michel for 25th and 26th July.

—he will be met at Roissy airport.

—could he let her know his flight number and time of arrival.

Write the telex.

### Task 4
Mr Reynolds phones Mme Gaspart to tell her:

—no need to meet him at the airport

—invites her for lunch

—will meet her in the bar of l'Hôtel du Globe at 12.30 on the 25th

Act the part of Mr Reynolds

# UNIT 9

## Au restaurant

Après sa visite à High Wycombe, Mme Gaspart rencontre M. Reynolds au restaurant pour un déjeuner d'affaires. Ils se rendent ensuite au bureau de Mme Gaspart où ils continuent leurs discussions et concluent leur premier marché.

(*dans le bar*)

**Mme Gaspart**—Good morning, Mr Reynolds. How are you?

**Mr Reynolds** —Very well, thank you, and you? Nice to see you again.

**Mme Gaspart**—Oh, je vous en prie, n'en dites pas davantage. C'est tout l'anglais que j'ai eu le temps d'apprendre depuis mon retour de High Wycombe.

**Mr Reynolds** —Je suis très impressionné et très flatté que votre visite chez nous vous ait donné envie d'étudier l'anglais.

**Mme Gaspart**—Vous savez, je me suis sentie tellement idiote de ne pouvoir saluer votre P.D.G. dans sa propre langue que j'ai décidé de me remettre à l'anglais.

**Mr Reynolds** —Bravo, et quelle méthode avez-vous l'intention d'utiliser?

**Mme Gaspart**—Eh bien, j'ai acheté un cours de la BBC qui me paraît très efficace et très intéressant.

**Mr Reynolds** —Donc la prochaine fois que vous viendrez nous voir, vous n'aurez plus besoin de mes services d'interprète.

**Mme Gaspart**—Ne soyons pas trop optimistes! En attendant, j'ai hâte de retourner en Angleterre. J'en garde un souvenir fabuleux et je vous remercie encore du merveilleux accueil que vous m'avez réservé. J'ai trouvé votre région très belle et j'ai été particulièrement séduite par vos petits pubs.

**Mr Reynolds** —Voilà qui fait plaisir! Et si on commandait quelque chose à boire? Qu'est-ce que vous prenez comme apéritif?

**Mme Gaspart**—Pour moi ce sera un martini avec une tranche de citron et un glaçon.

**Mr Reynolds** —S'il vous plaît, mademoiselle . . . Un martini on the rocks, un pastis et le menu, s'il vous plaît.

**Serveuse** —Un martini et un pastis . . . oui.

**Mme Gaspart**—Comment se fait-il que vous buviez du pastis? Ce n'est pas très anglais. Je m'attendais à vous voir prendre un whisky.

**Mr Reynolds** —Quand j'étais étudiant, j'ai passé un an dans le Midi de la France et c'est là que j'ai appris à apprécier le pastis.

**Mme Gaspart**—Vous m'en direz tant. Je comprends pourquoi vous parlez si bien le français. Et parlez-vous d'autres langues?

**Mr Reynolds** —Oui, l'allemand mais pas aussi couramment que le français. A votre santé et à la réussite de notre entreprise!

**Mme Gaspart**—A notre succès!

**Mr Reynolds** —Maintenant, passons aux choses sérieuses. Vous n'êtes pas obligée de prendre un menu, vous pouvez choisir quelque chose à la carte.

**Mme Gaspart**—Le menu à 120 F me plaît bien, qu'en pensez-vous?

**Mr Reynolds** —Oui – la terrine de canard me tente mais d'un autre côté je n'ai pas mangé d'escargots depuis si longtemps.

**Mme Gaspart**—Vous aimez les escargots? Décidément vous n'avez rien d'un Anglais. Moi, je pencherais plutôt pour les huitres. J'ai un faible pour les fruits de mer.

**Mr Reynolds** —Moi aussi, mais je ne peux pas en manger. Je suis allergique.

**Mme Gaspart**—Quel dommage! Après les huitres je prendrai une sole meunière avec des pommes vapeur. Une salade verte et un dessert.

**Mr Reynolds** —Moi, je commencerai par les escargots et ensuite je prendrai une caille aux raisins, j'adore ça. Je suis très gourmand, vous savez.

**Mme Gaspart**—Je dirais plutôt gourmet que gourmand.

**Mr Reynolds** —Hum, vous êtes gentille.

**Mme Gaspart**—Comme vous semblez vous y connaître en gastronomie, quels sont vos plats favoris?

**Mr Reynolds** —Oh, j'aime beaucoup les plats en sauce tels que le coq au vin ou le boeuf bourguignon. J'aime aussi la charcuterie, patés, saucissons, jambon fumé . . . enfin tout ce qui est riche, fait grossir et bouche les artères!

**Mme Gaspart**—Inutile de vous demander si vous aimez le vin. Allez, choisissez une bonne bouteille de Bourgogne ou de Bordeaux pour aller avec votre caille aux raisins.

**Mr Reynolds** —Ah non, comme vous prenez du poisson nous allons commander une bouteille de vin blanc sec.

**Mme Gaspart**—Non vraiment. Je ne bois jamais de vin au déjeuner. Pour moi ce sera une eau minérale.

**Mr Reynolds** —Alors, vous allez me laisser boire tout seul? Je ferais mieux de prendre de l'eau minérale aussi.

**Mme Gaspart**—Ah non! J'insiste – vous n'allez quand même pas manger une caille aux raisins avec de l'eau. Allez, offrez-vous une bonne petite bouteille de Bordeaux 1975.

**Mr Reynolds** —Après tout, vous avez raison – le petit Château Latour 1975 n'a pas l'air mal du tout. Bon, si vous êtes prête, nous pouvons passer à table. Après vous . . .

*MENU à 75 F*

Hors d'oeuvres maison
ou
Terrine de canard
ou
Melon au porto

\*   \*   \*

Rognons au madère
ou
Steak au poivre vert
ou
Carpe farcie

\*   \*   \*

Fromage
ou
Dessert au choix

*MENU à 120 F*

Escargots
ou
Terrine de canard
ou
Huîtres

\*   \*   \*

Cailles aux raisins
ou
Sole Meunière
ou
Entrecôte Chasseur

Légumes au choix

\*   \*   \*

Plateau de
fromages

\*   \*   \*

Dessert au choix

*TVA et Service Compris*

## Vocabulaire

un marché,   *deal, order*
conclure un marché,   *to make a deal/to clinch a deal*
impressionner,   *to impress*
faire bonne impression (à),   *to make a good impression (on)*
faire mauvaise impression,   *to make a bad impression*
saluer,   *to greet*
les salutations (f),   *greetings*
un cours,   *a course / a lesson*
efficace / inefficace,   *effective / ineffective*
un interprète,   *an interpreter*
un traducteur,   *a translator*
avoir hâte de,   *to look forward to, long to*

un accueil,   *a welcome*
un accueil chaleureux,   *a warm welcome*
accueillir,   *to receive*
un comité d'accueil,   *a reception committee*
Comment se fait-il que? *How is it that . . .?*
s'attendre à (ce que) + subj.,   *to expect*
Vous m'en direz tant,   *Is that really so?*
je parle bien /mal/couramment le français,   *I speak French well, badly, fluently*
une boisson,   *a drink*
un glaçon,   *an ice cube*
à votre santé,   *cheers!*
la réussite,   *success*
réussir à faire quelque chose,   *to succeed in doing something*
pencher pour quelque chose,   *to be inclined to do something*
avoir un faible (pour),   *to have a weak spot (for)*
gentil, gentille,   *nice*
c'est gentil de votre part,   *it's nice of you . . .*
s'y connaître (en),   *to know something (about)*
faire grossir,   *to be fattening*
gros / mince,   *fat / thin*
maigrir,   *to lose weight*
s'offrir quelque chose,   *to treat yourself to something*
avoir raison / avoir tort,   *to be right / to be wrong*
avoir l'air,   *to seem*

## Exercises

***Exercise 1:* Avez-vous bien compris?**
**Essayez de répondre aux questions suivantes:**

1  Où a lieu cette conversation entre Mme Gaspart et M. Reynolds?

2  Mme Gaspart connaît-elle bien l'anglais?

3  A-t-elle l'intention de se remettre à l'anglais?

4  Quel cours a-t-elle choisi?

5  Mme Gaspart a-t-elle été enchantée de'sa visite en Angleterre?

6  Qu'est-ce qui lui a plu tout particulièrement?

7  Quelles consommations commandent-ils?

8  M. Reynolds connaît-il bien la France?

9  Choisissent-ils de manger à la carte?

10  Que choisit Mme Gaspart en entrée?

11  Pourquoi M. Reynolds ne prend-il pas d'huitres?

**12** Que choisit donc M. Reynolds?

**13** Que vont-ils boire?

*Exercise 2:* **Comment diriez-vous en français?**

**1** I felt very tired.

**2** Her trip to Spain has made her want to learn Spanish.

**3** This course seems extremely good.

**4** In the meantime . . .

**5** We look forward to returning to Paris.

**6** What will you have to drink?

**7** How is it that you like garlic?

**8** He speaks Italian fluently.

**9** Cheers!

**10** I like pâté but I can't eat it.

**11** Treat yourself to a second dessert.

*Exercise 7:* **Practise – perfect subjunctive with avoir**

**Example**

| *I say:* | *You say:* |
|---|---|
| J'ai reçu une grosse commande. | Je suis contente que vous ayez reçu une grosse commande. |

—J'ai obtenu le contrat.

—J'ai baissé le prix.

—J'ai servi d'interprète.

—J'ai traduit la brochure.

*Exercise 4:* **Practise – perfect subjunctive with être**

**Example**

| *I say:* | *You say:* |
|---|---|
| Je suis arrivé en retard. | Je regrette que vous soyez arrivé en retard. |

—Je suis venu sans rendez-vous.

—Je suis tombé malade.

—Je suis allé voir votre concurrent.

—Je suis descendu dans un mauvais hôtel.

—Je me suis dépêché pour rien.


*Exercise 5:* **Practise – Si + imperfect**

**Example**
*I say:*
Let's go to the cinema.

*You say:*
Et si on allait au cinéma?

—Let's have a drink.

—Let's ask for the menu.

—Let's order the meal.

—Let's choose a dessert.

—Let's start with the snails.


*Exercise 6:* **Practise – s'y connaître en**

**Example**
*I say:*
Paul est chargé du marketing.

*You say:*
Oui, il s'y connaît en marketing.

—Colette est responsable de la comptabilité.

—Jean s'occupe de la publicité.

—Je suis responsable des finances.

—Vous êtes chargé des techniques de promotion.

## Tasks

*Task 1:* **Dialogue – Maintenant, à vous de jouer!**
You are sitting comfortably in a cosy restaurant in Paris. You have been discussing the menu with your French colleague and now the waitress is ready to take your order.

After studying the menu in your book, take part in the following conversation:

**Serveuse**—Messieurs, Dames, vous avez choisi?

**Mme Roudy**—Oui, c'est fait.

**Serveuse**—Bien. Que prenez-vous en entrée?

(*Say that you would like the 'grenouilles aux échalottes'*)

**Serveuse**—Oui, et ensuite?

(*Ask the waitress if she can recommend a main course*)

**Serveuse**—Eh bien, vous avez la carpe farcie qui est particulièrement savoureuse, ou bien le magret de canard que vous trouverez rarement à Paris car c'est un plat typique du Quercy.

(*Say that you will have the 'magret de canard'. Add that you would have liked to try the fish but it makes you ill so you'll have the magret de canard*)

**Mme Roudy**—Moi, je préfère prendre une aiguillette de boeuf.

**Serveuse**—Voici la carte des vin.

(*Tell Mme Roudy that she must choose the wine since you are not a connoisseur*)

**Mme Roudy**—Très bien. Alors, donnez-nous un Morgon '76, je pense que c'est ce qui accompagnera le mieux nos plats.

**Serveuse**—Merci, Messieurs, Dames.

### Task 2
You are entertaining a customer in Paris.
Telephone to book a table at the Brasserie de l'Ile Saint Louis for 7 o'clock on Wednesday, July 25th.

### Task 3
Reserve two seats at the Châtelet Theatre for the same evening. Check prices of seats and performance times.

### Task 4
Role play based on the menu:
You need four students in each group, i.e. one waiter, three customers.
You are about to order a meal in a French restaurant. You discuss the menu and wine list and ask for advice and information from the waiter.
Make a list of useful expressions you may want to use referring back to the dialogue if necessary.

Même Etablissement, 51, rue du Commerce - PARIS 15ᵉ

" Le Commerce "

**SUPPLEMENTS**

Beurre 3 coquilles 1,00
Cornichons ...... 1,00
Mayonnaise ..... 1,00
½ citron ....... 1,00
Rapé ........... 1,00
Sauce Tomate .... 1,00
Crème Chantilly .. 2,50

---

NOUS ACCUEILLONS LA CLIENTÈLE
de 11 h 00 à 15 h 00
et de 18 h 00 à 21 h 30

CARAFE D'EAU GRATUITE

SUGGESTION DU JOUR POUR 47.50

SERVICE NON COMPRIS 12%

°TERRINE DE LAPIN        10.50

°FILET DE DORADE MEUNIERE

OU             23.00

°COTES D'AGNEAU GRILLEES
                FRITES

°MOUSSE CHOCOLATEE    9.00

1/4 DE VIN ROUGE 12°   5.00

                    47.50

Tous les changements de garniture : 1 F.

LES GRILLADES ET GRATINS
se commandent à l'avance

**SERVICE NON COMPRIS 12 %**

Pour toute réclamation, s'adresser au Gérant.

Une note détaillée est remise au Client
sur sa demande
**Les chèques bancaires ou postaux de
compte personnel ne sont pas acceptés**

La Maison ne répond pas des objets
ou vêtements volés, tachés ou échangés

---

LUNDI LE 02 MARS 198

°POTAGE ; de LEGUMES                5.00

°Salade composée               10.50   °Terrine de lapin            10.50
°Noix des ardennes avec beurre 10.50   °Andouille de vire beurre     8.00
 Jambon blanc cornichon         7.00    Oeuf dur mayonnaise          6.00
°Asperges vinaigrette          15.00    Carottes rapées au citron    5.00
 Salade de tomates              6.50   °Céleri rémoulade             6.50
 Filets de sardines anchoités   6.50   °Crevettes roses avec beurre 11.00
 Salade d'endives               8.00   °Epi de maïs grillé          10.50
 Salade de laitue               8.00

 ESCARGOTS LA DOUZAINE         37.00    ESCARGOTS LA DEMI DOUZAINE  18.50
                                       ==================
                                       OEUFS CE SOIR
 Oeufs au plat au lard fumé     9.00    Omelette lyonnaise           9.00
                                       ==================
                                       POISSONS
°Filet de dorade meunière      23.00   °Roussette sauce tartare     20.00
°Thon froid mayonnaise         17.00   °Crevettes roses avec beurre 11.00
                                       ==================
                                       PLATS
      ENTRECOTE GRILLEE AUX HERBES DE PROVENCE POUR DEUX PERSONNES   54.00
 Couscous royal                23.00    Roti de porc épinards       20.00
 Rognons à la berrichonne      19.00   °Steak au poivre pommes frites 24.00
°Tête de veau ravigote         21.00   °Pavé de rumsteak grillé frites 23.00
 Poulet froid mayonnaise       18.00   °Choucroute garnie francfort 23.00
 Tranche de foie pommes frites 16.00    Cotes d'agneau grillées frites 23.00
°Escalope de veau clamart      24.00    Hamburger steak pommes frites 21.00
                               23.00    Steak haché cru sauce tartare 23.00

                                       ==================
                                       LEGUMES
°Pommes frites                  7.00   °Champignons à la provençale  8.00
 Pommes à l'anglaise            6.00    Pates sauce tomate ou fromage 6.00

                                       ==================
                                       FROMAGES
 Yaourt au sucre   2.50 Camembert      4.50   Fromage demi sel       4.50
 Fromage de chèvre              7.50   °Bleu d'auvergne beurre       7.50
 Cantal                         6.00   °Pont l'évêque        7.00
      FROMAGE BLANC FRAIS DE CAMPAGNE ( GERVAIS ) 6.00
                                       DESSERTS
°ENTREMET DU JOUR ; CHOCOLAT LIEGEOIS 17.00
°Mousse chocolatée              9.00    Orange  ;  Pomme  ;  Banane ;  6.00
 Compote de poires             6.00    Baba au punch                9.50
 Coupe de crème chantilly       8.00
                                       ==================
        GLACES                                PATISSERIES
°Napolitaine praliné chocolat   8.00   °Tarte aux groseilles        10.00
°Mystère  ; Cassate  ;         13.00   °Avec chantilly              12.50
°Parfait au café               13.00
°Dome au caramel               18.00

        ==================================
        BORDEAUX NOUVEAU   LA BOUTEILLE     45.00
              "  "   "     LA DEMI Blle     28.00
        ==================================

# LE DROUOT

LEMAIRE & Cᵗ

103, RUE DE RICHELIEU - 75002 PARIS

Métro Richelieu-Drouot        Tél. (1) 42.96.68.23        Capital 220.000 F - R.C. Seine 55 B 5257

---

### APÉRITIFS (5 cl)

| | |
|---|---|
| Suze - Byrrh - Dubonnet - Saint-Raphaël .......... | 9.00 |
| Ambassadeur .................................... | 9.00 |
| Cinzano - Martini .............................. | 9.00 |
| Ricard - Pernod (les 2 cl) ..................... | 9.00 |
| Porto .......................................... | 9.00 |
| Américano ...................................... | 9.00 |

| | | | |
|---|---|---|---|
| Thé .............. | 4.00 | Infusion .......... | 4.00 |
| Café express ..... | 4.00 | | |

### EAUX MINÉRALES

| | | |
|---|---|---|
| Badoit .......................... | la demie | 6.50 |
| Vittel .......................... | la demie | 6.50 |
| Evian ........................... | la demie | 6.50 |
| Vichy Saint-Yorre ............... | la demie | 6.50 |

### ALCOOLS ET LIQUEURS (2 cl)

| | | | |
|---|---|---|---|
| BÉNÉDICTINE .... | 9.00 | Cointreau ........ | 9.00 |
| Mirabelle ........ | 9.00 | Marie-Brizard sec | 9.00 |
| Calvados ........ | 9.00 | Rhum ............ | 9.00 |
| Cognac .......... | 9.00 | Kirsch pur ........ | 9.00 |
| Grog au rhum ... | 9.00 | Fine Languedoc ... | 9.00 |
| Marc ............ | 9.00 | | |

| | | |
|---|---|---|
| Cidre ........................... | la bouteille 33 cl | 6.00 |
| Bière export ................... | la bouteille 33 cl | 7.00 |

| | |
|---|---|
| Coca-cola ...................................... | 7.00 |

---

# CARTE DES VINS

### BORDEAUX

| | Bout. | 1/2 |
|---|---|---|
| Graves rouge A.C. ...................... | 41.00 | 22.00 |
| Côtes de Blaye A.C. .................... | 39.00 | 20.00 |
| Bergerac | | |
| Cuvée des Cadets d'Aquitaine A.C. .. | 46.00 | 28.00 |
| Beau-Rivage A.C. ...................... | 46.00 | 28.00 |

| | | |
|---|---|---|
| CAHORS CARTE NOIRE ............... | 45.00 | 28.00 |
| BEAUJOLAIS VILLAGES ............ | 45.00 | 28.00 |

### VINS D'ORIGINES DIVERSES

| | | |
|---|---|---|
| Cuvée « LE DROUOT » 12° ............. | 18.00 | 10.00 |
| Corbières V.D.Q.S. ..................... | 20.00 | 11.00 |
| Rouge du Chasseur          .............. | 19.00 | 10.00 |
| Côtes du Rhône A.C. ................... | 25.00 | 13.00 |
| Rouge de table 12° ................... | 15.00 | 8.00 |
| Rouge de table 12° ......... le ¼ ... | 5.00 | |
| Beauroy ............................. | 18.00 | 10.00 |
| Saint-Chinian ....................... | 29.00 | 18.00 |

### VINS BLANCS

| | Bout. | 1/2 |
|---|---|---|
| Gros Plant du Pays Nantais V.D.Q.S. .... | 22.00 | 12.00 |
| Sauvignon de Loire .................... | 25.00 | 13.00 |
| Blanc de Blanc Chantemer .............. | 19.00 | 11.00 |

### VINS ROSÉS

| | | |
|---|---|---|
| Côtes de Provence A.C. ............... | 25.00 | 13.00 |
| Vin rosé 12° ......................... | 16.00 | 9.00 |

### CHAMPAGNES

| | | |
|---|---|---|
| Paul Royer Brut ....................... | 150.00 | 80.00 |
| Lanson Black Label ................... | 170.00 | 90.00 |

| | |
|---|---|
| Gallois (Mousseux) ................... | 29.00 |

## Grands Vins BORIE-MANOUX

Contenance de la verrerie : le carafon de 25 cl, Bordelaise 73 cl, Demie 36 cl, Bourgogne 73 cl, Demie 36 cl

# Deuxième rendez-vous
# d'affaires (1)

(*Dans le bureau de Mme Gaspart après le déjeuner*)

**Mme Gaspart**—J'avoue que les dîners d'affaires ne m'incitent pas particulièrement au travail. J'aurais besoin d'une bonne marche à pied et d'un peu d'air frais.

**Mr Reynolds** —Et moi donc, j'espère que le petit Château Latour 1975 ne va pas affecter mon jugement dans les négociations qui vont suivre!

**Mme Gaspart**—Comme je vous disais au cours du déjeuner nous sommes maintenant prêts à vous passer notre première commande. D'après les réactions de nos chefs de magasin, nous avons de fortes chances de réussir.

**Mr Reynolds** —Et vous êtes-vous mis d'accord sur le choix des modèles? Vous m'aviez mentionné que vous alliez vous cantonner à la gamme de petits meubles.

**Mme Gaspart**—C'est exact, nous avons convenu ensemble d'une commande de meubles de coin et de tables de salon.

**Mr Reynolds** —Je suis surpris que vous n'ayez pas inclus notre petit bahut, réf. C928 et C930. Vous pouvez le transformer en buffet, vaisselier, bibliothèque etc. C'est un meuble versatile qui prend peu de place et qui offre beaucoup de possibilités.

**Mme Gaspart**—Mais vous avez absolument raison et nous sommes très intéressés. Croyez-moi la versatilité de ce petit meuble ne nous a pas échappé et nous avons bien l'intention de l'inclure dans notre catalogue, mais à une date ultérieure. Si tout marche comme prévu et si nos entrepôts de Lille sont disponibles au début de l'année prochaine nous vous passerons une commande supplémentaire.

**Mr Reynolds** —Je vois que vous avez déjà rempli votre bon de commande.

**Mme Gaspart**—Oui, en voici un exemplaire. Comme vous voyez, nous utilisons nos propres bons de commande. Ça facilite énormément le travail administratif et comptable, d'autant plus que tout est informatisé.

**Mr Reynolds** —Je vois que avez déjà calculé le prix de chaque article. Je suppose que vous vous êtes basée sur la liste de prix sortie d'usine que je vous avais remise lors de ma première visite.

**Mme Gaspart**—C'est cela–nous avons tout simplement multiplié les prix anglais par 9.50F.

**Mr Reynolds** —Seulement vous avez omis d'ajouter le prix du transport et de l'assurance pour arriver au prix franco domicile.
Est-ce que cela signifie que vous avez l'intention de vous charger de l'assurance et du transport?

# William Bartlett & Son
## STRONGBOW

**Mme Gaspart**—Non, pas du tout, nous voulons un prix franco Paris, Tours et Lyon puisque les marchandises devront être livrées à nos trois dépôts.

**Mr Reynolds**—Dans ce cas il suffit d'ajouter environ 7% pour couvrir les frais d'assurance et de transport. De toute façon je vous enverrai notre offre finale dès que je rentrerai en Angleterre. Nous sommes donc d'accord sur les prix?

**Mme Gaspart**—Oui et non. Le cours de la livre est maintenant à 9.10F. Nous avons calculé nos prix avec une livre à 9.50F. La fluctuation des cours rend notre comptabilité difficile et fausse nos prévisions. Nous aimerions donc arriver à un accord sur un taux fixe pour chaque exercice financier. Pour cette année je propose un taux de 9.30F jusqu'à la fin de l'exercice.

**Mr Reynolds**—Je n'y vois aucun inconvénient et je crois que votre proposition facilitera aussi nos comptes. En ce qui concerne nos modalités de paiement, nous offrons un escompte de 2,5% pour 30 jours net ou 60 jours net sans escompte.

**Mme Gaspart**—30 jours est hors de question. En France les délais de paiement vont de 60 jours fin de mois à 90 jours. Presque tous nos fournisseurs nous font 90 jours.

**Mr Reynolds**—90 jours nous poserait de gros problèmes de cash-flow car les délais de paiement en Angleterre sont beaucoup plus courts. Mais je pense que nous pouvons arriver à un compromis. Que diriez-vous de 60 jours fin de mois?

**Mme Gaspart**—Ça me paraît tout à fait acceptable. Nous disons donc prix franco domicile, 60 jours fin de mois.

**Mr Reynolds**—C'est exact. En ce qui concerne les délais de livraison ils vont de 8 à 10 semaines. Et je peux vous assurer que nous respectons nos dates de livraison.

**Mme Gaspart**—Vous oubliez les conflits sociaux, les grèves . . .

**Mr Reynolds**—De ce côté, aucun problème. Nos relations cadres-ouvriers sont excellentes et nous ne sommes pas touchés par les conflits sociaux dont on parle tant dans les média.

**Mme Gaspart**—Je ne faisais pas allusion à votre personnel. Je pensais plutôt aux grèves des dockers et des camionneurs.

**Mr Reynolds**—Là, ce sont des circonstances indépendantes de notre volonté mais je ne pense pas qu'il y ait beaucoup de grèves. Le chômage est si élévé que les ouvriers ont peur de perdre leur emploi et ils ne suivent pas toujours les mots d'ordre de leurs syndicats.

## LA BOUTIQUE
## Meublat

**BON DE COMMANDE**

N°  [ 001 ]

William Bartlett & Son
High Wycombe
ANGLETERRE

**Délai de livraison:**   8 - 10 semaines

**Mode de livraison:**   Transport routier

**Délai de paiement:**   60 jours fin de mois

**Mode de paiement:**   Lettre de Change

| Référence | Désignation | Unité | Quantité | Prix unitaire |
|-----------|-------------|-------|----------|---------------|
| C 537 | Table petit-déjeuner | 1 | 5 | 1 100 F. |

## Vocabulaire

un chef de magasin,   *a store manager*
les négociations (f),   *negotiations*
engager des négociations,   *to enter into, begin negotiations*
négocier,   *to negotiate*
négociable,   *negotiable*
passer une commande,   *to place an order*
modifier une commande,   *to change an order*
remplacer une commande,   *to replace an order*
annuler une commande,   *to cancel an order*
se mettre d'accord sur,   *to agree on*
être d'accord avec,   *to agree with*
arriver à un accord,   *to reach agreement*
convenir de,   *to agree on*
se cantonner à,   *to restrict (oneself) to*
se limiter à,   *to limit (oneself) to*
inclure,   *to include, enclose*
ci-inclus,   *enclosed*
à une date ultérieure,   *at a later date*
si tout marche comme prévu,   *if everything goes as planned*
un entrepôt,   *a warehouse*
disponible,   *available*

remplir un formulaire, une fiche,   *to fill in a form*
un bon de commande,   *an order form*
une facture,   *a bill, invoice*
faciliter / compliquer,   *to make easier / to complicate*
compter,   *to count*
les comptes (m),   *the accounts*
un comptable,   *an accountant*
les livres comptables,   *books (of account)*
la comptabilité,   *accounting/accounts department*
un administrateur,   *an administrator*
administratif,   *administrative*
l'administration (f),   *administration*
l'information (f),   *data, information*
l'informaticien (m),   *computer scientist*
informatiser,   *to computerise*
l'informatique,   *computer science*
un ordinateur,   *a computer*
calculer un prix,   *to calculate a price*
faire un prix,   *to work out a price*
baisser un prix,   *to lower a price*
augmenter un prix,   *to increase a price*
une liste de prix, un tarif,   *a price list*
remettre quelque chose à quelqu'un,   *to hand over, give*
omettre de = oublier de,   *to forget*
se charger de,   *to take responsibility for*
un assureur,   *an insurance agent*
assurer,   *to insure*
s'assurer contre,   *to insure against*
livrer,   *to deliver*
une livraison,   *a delivery*
effectuer une livraison,   *to make a delivery*
les délais (m) de livraison,   *delivery dates*
les conditions de livraison,   *delivery conditions*
respecter une date de livraison,   *to keep to a delivery date*
il suffit de . . .,   *you only have to . . .*
une offre, *an offer*
faire une offre,   *to make an offer*
un appel d'offre,   *a call for tender*
une offre publique d'achat (O.P.A),   *a takeover bid*
prévoir – prévu,   *to plan – planned*
les prévisions (f),   *forecasts*
un exercice financier,   *a financial year*
je n'y vois aucun inconvénient,   *I see no problem with that*
les modalités (f) de paiement/le mode de paiement,   *methods, means of payment*
effectuer un paiement,   *to make a payment*
les délais de paiement,   *terms of payment*
une traite bancaire,   *a banker's draft*

un escompte, *a discount (for quick payment)*
une remise, *a discount (for large orders)*
un rabais, *a special reduction (end of line . . .)*
accorder/consentir un escompte, *to give, allow a discount*
un fournisseur, *a supplier*
fournir, *to supply*
les fournitures (f), *supplies*
une grève, *a strike*
être en grève, faire la grève, *to be on strike*
se mettre en grève, *to go on strike*
les conflits sociaux, *industrial disputes*
un syndicat, *a trade union*
syndiqué, *in a union*
un délégué syndical, *a trade union representative*
un mot d'ordre, *call to strike*
être touché par, *to be affected by*
faire allusion à, *to refer to, hint at*
un camionneur, *a lorry driver*
un chauffeur de poids lourds, *a heavy goods driver*
des circonstances indépendantes de notre volonté, *circumstances beyond our control*
le chômage, *unemployment*
être au chômage, *to be unemployed*
le taux de chômage, *rate of unemployment*
un chômeur, *an unemployed person*
un emploi, *a job*
le marché de l'emploi, *job market*
un demandeur d'emploi, *a job hunter*
faire une demande d'emploi, *to apply for a job*
une demande d'emploi, *a job application*

### Vocabulaire complémentaire

une demande de renseignements, *an inquiry*
un appel d'offre, *a call for tender*
la vérification de la réputation de solvabilité de l'acheteur, *credit control*
les documents comptables (mpl), *accounting documents*
une lettre d'avis, *an advice note*
un relevé de compte, *a statement of account*
le règlement, *the settlement*
l'escompte (m) sur facture, *trade discount*
franco de port, *carriage paid*
le port dû, *carriage forward (unpaid)*
l'expédition (f) / l'envoi (m), *shipment*
le connaissement (par bateau), *the Bill of Lading (B/L)*
la L.T.A. (Lettre de Transport Aérien), *the Airway Bill*
la Lettre de Voiture, *Roadway Bill*
le passage en douane, *customs clearance procedure*

dédouaner,   *to clear through customs*
le prix de base,   *the basic price*
la facture consulaire,   *consular invoice*
la facture proforma,   *the proforma invoice*
le certificat d'origine,   *the certificate of origin*
la lettre de change,   *the foreign bill of exchange*
la traite documentaire,   *the documentary bill*
la traite sur une banque,   *bank draft*
la lettre documentaire de crédit,   *the documentary letter of credit*
vendre à perte,   *to sell under cost price*
la réglementation des prix,   *price regulation*
le blocage des prix,   *price freeze*
la hausse des prix,   *the increase in prices*
la baisse des prix,   *fall in prices*
soutenir les prix,   *to peg prices*
monter les prix,   *to increase prices*
l'écart des prix,   *price differential*
la disparité des prix,   *differences in prices*
fixer le prix de quelque chose,   *to set a price*
une étiquette de prix,   *a price tag*
vendre meilleur marché, brader,   *to undercut prices*
le prix cible,   *target price*
le tarif,   *tariff*

## Exercises

***Exercise 1:*** **Avez-vous bien compris?**
**Essayez de répondre aux questions suivantes:**

1  Que craint M. Reynolds?

2  Qu'est-ce que Mme Gaspart a décidé de faire?

3  Quels meubles ont été choisis par Mme Gaspart et ses collègues?

4  Pourquoi Mme Gaspart n'a-t-elle pas inclus le petit bahut que vante M. Reynolds?

5  Qu'est-ce que Mme Gaspart a déjà fait?

6  Comment a-t-elle calculé les prix?

7  Qui va se charger de l'assurance et du transport?

8  A combien s'élèvent les frais de transport et d'assurance?

9  Pourquoi leur est-il difficile de se mettre d'accord sur les prix?

10  Que décident-ils de faire?

11  En ce qui concerne les modalités de paiement, que propose M. Reynolds?

12  Comment réagit Mme Gaspart?

13 Que propose donc M. Reynolds?

14 Quels sont les délais de livraison?

15 Pourquoi M. Reynolds peut-il garantir que les délais de livraison seront respectés?

### *Exercise 2:* **Comment diriez-vous en français?**

1 As I was telling you earlier . . .

2 We would like to place an order.

3 They have agreed on the range of colours.

4 They are surprised that you chose such a heavy material.

5 We intend to place a second order in six months' time.

6 This new model will be available in June.

7 Our offices are computerised.

8 Did you base your calculations on the latest price list?

9 They have forgotten to add VAT!

10 We must agree on prices.

11 I have no objection to that.

12 The terms of payment.

13 We can reach a compromise.

14 What about a 2% discount?

15 They are not affected by strikes.

16 I am referring to the recent dockers' strike.

### *Exercise 3:* **Practise – augmenter de, baisser de**

**Example**

| *I say:* | *You say:* |
|---|---|
| La livre est à 11F. Elle était à 10F l'année dernière | Oui, elle a augmenté d'1F par rapport à l'année dernière |

—La livre est à 10F; elle était à 11F l'année dernière.

—La livre est à 12F; elle était à 10F l'année dernière.

—La livre est à 9F; elle était à 11F l'année dernière.

### *Exercise 4:* Practise – payment terms

**a)** Write down the following figures and use the information to do part **b**):

—For cash payment you'll give 4% discount.

—For 30 days payment you'll give 2.5% discount.

—For 60 days you'll give no discount.

—For 90 days you'll give no discount.

**b)**  *I say:*                                         *You say:*
Et si je vous paie dans un délai          Si vous me payez dans un délai de 30
de 30 jours?                                    jours, je vous accorderai un escompte de
                                                      2.5%.

—Et si je vous paie comptant?

—Et si je vous paie dans un délai de 60 jours?

—Et si je vous paie dans un délai de 90 jours?

### *Exercise 5:* Selling Exercise

Write down the following:

Product: a computer                     Price: £5,000

Exchange rate: £1 = 10F               Insurance & Transport: 10% extra

Delivery: 6 weeks                         Payment:  5% discount for cash payment
                                                           or 60-days draft.

Now that you have all the data required to answer my enquiry, answer the
following questions:

—Combien fait cet ordinateur?

—Quel est le taux de la livre en ce moment?

—Alors à combien revient cet ordinateur en francs?

—Est-ce que le transport est compris?

—Et l'assurance?

—A combien s'élèvent l'assurance et le transport?

—Est-ce que vous vous chargez du transport?

—Quels sont vos délais de paiement?

—Est-ce que vous accordez un escompte pour 30 jours?

—Quand pourriez-vous effectuer la livraison?

## Tasks

### *Task 1: Dialogue* – **Maintenant, à vous de jouer!**
Following Mme Ferrand's visit to your firm, you make a follow-up visit to her office in France.

**Mme Ferrand**—Mme Heppell, je suis heureuse de vous annoncer que notre test-produit a obtenu des résultats très encourageants et nous sommes donc décidés à passer une commande.

(*Say that you are pleased and ask which products she has chosen*)

**Mme Ferrand**—Pour la première commande, nous nous sommes limités aux produits de beauté pour le visage.

(*Ask her if by that she means the soap, the cleansing lotion, the toning lotion, the moisturiser and the night cream*)

**Mme Ferrand**—C'est cela, pour ces produits, nous avons étudié la liste de prix que vous nous avez donnée – ils nous paraissent assez compétitifs par rapport aux autres produits naturels.

(*Say that in addition the prices are even better because the pound is lower now. Also the prices include the insurance and the transport*)

**Mme Ferrand**—A ce propos je voulais vous préciser que les marchandises doivent être livrées à notre entrepôt de Marne-la Vallée. Comment comptez-vous organiser le transport?

(*Say that you have been working with a road haulage contractor for years. He knows your products and the carriage will be safe*)

**Mme Ferrand**—Par camion? Ce ne serait pas mieux par avion?

(*Say that the plane is really too expensive and moreover the packaging is adapted to transport by road*)

**Mme Ferrand**—Bien. Je vois que nous avons passé en revue les principaux points, puisque nous nous sommes mis d'accord la semaine dernière en Angleterre sur les délais de paiement.

(*Say yes, you agreed on 60 days after delivery. But you can offer a discount if they pay in 30 days*)

**Mme Ferrand**—A combien s'éleverait l'escompte si on payait sous 30 jours?

(*Say that you offer a 2% discount*)

**Mme Ferrand**—Bien, je vais en discuter avec le service comptabilité et nous vous en informerons dès que possible.

### *Task 2*
Write a report in French on the meeting between Mme Gaspart and Mr Reynolds listing the points agreed on so far.

**Task 3**

Study the following conditions of sale and extract information from it under the following headings:

—prices

—payment terms

—guarantee

---

**CONDITIONS GENERALES DE VENTE**

Tous nos prix s'entendent facturation au cours du jour de livraison, hors taxes, départ usine, frais de port et d'emballage en sus. Nos marchandises sont prises à Valognes et voyagent aux risques et périls du destinataire. En cas de litige de quelque nature que ce soit, le Tribunal de Commerce de Cherbourg sera seul compétent. Nos factures sont payables à notre Siège Social à 30 jours fin de mois par traite acceptee: ou par règlement comptant, dans les 15 jours de date de la facture, sous déduction d'un escompte de 2%; ou contre-remboursement. Nos délais de livraison sont donnés à titre indicatif et n'engagent en aucune façon notre responsabilité. Notre garantie est limitée au remplacement des articles non conformes à la commande, sans indemnité ni dommages et intérêts pour quelque cause que ce soit. Toute commande livrée ne sera ni reprise ni échangée. Nous nous réservons le droit de réclamer des dommages et intérêts pour toutes commandes annulées.

De convention expresse et sauf report accordé par nous, le défaut de paiement de nos fournitures à l'échéance fixée entrainera quel que soit le mode de règlement prévu, une intervention contentieuse et l'application à titre de dommages et intérêts d'une indemnité égale à 15% de la somme impayée, outre les frais judiciaires et intérêts légaux.

---

**Task 4**

Summarise the content of the following telex for the Accounts Department.

```
837342   MULTIWRAP
BP BA CX 710065F

DE BANQUE POPULAIRE BRETAGNE ATLANTIQUE, NANTES A MULTIWRAP LTD.
A L'ATTENTION DE MME EDITH ROSE

NOUS SOUSSIGNES BANQUE POPULAIRE BRETAGNE ATLANTIQUE, CEDEX 3,
CERTIFIONS AVOIR BLOQUE IRREVOCABLEMENT SUR ORDRE DE NOS CLIENTS:
SOCIETE DUPUY.

LA SOMME DE FRF 22.855,60
VINGT DEUX MILLE HUIT CENT CINQUANTE CINQ FRANCS SOIXANTE CENTIMES
EN FAVEUR DE VOUS MEMES
CONCERNANT FACTURE 90100
VALIDITE DE CETTE GARANTIE:  25 MARS 198..

NOUS EN EFFECTUERONS LE REGLEMENT SANS AUTRE AVIS DE NOS CLIENTS, DES
RECEPTION D'UNE PIECE JUSTIFICATIVE DOUANIERE PROVANT L'ENTREE DE LA
MARCHANDISE EN FRANCE.

FAIT A NANTES, LE 25 FEVRIER 198.

N/REF.  COMEX YM/MJ                      NR 91584

SALUTATIONS
COMEX

837342   MULTIWRAP
BP BA CX 710065F
```

# UNIT 11

## Deuxième rendez-vous d'affaires (2)

Les risques sont réduits au minimum

**Mme Gaspart**—Maintenant, je voudrais aborder la question de la publicité. Comme nous vendons sous notre propre marque, nous avons un catalogue maison.

**M. Reynolds** —Et, est-ce que vous avez l'intention de mettre les meubles français et anglais dans le même catalogue?

**Mme Gaspart**—Non, nous allons produire un deuxième catalogue, intitulé 'Meublat, le style anglais'. D'autre part nous allons insérer une publicité dans le magazine *La Maison Française* dont je vous ai donné un exemplaire.

**Mr Reynolds** —Oui, effectivement, c'est un magazine qui ressemble beaucoup à *House and Gardens* en Angleterre. Mais il s'agit d'une publicité à l'échelon national. Est-ce que vous faites aussi de la publicité sur le plan local?

**Mme Gaspart**—Oui, bien sûr. Comme vous savez, nous avons 25 magasins répartis dans toute la France et nous faisons systématiquement de la publicité dans les journaux locaux. Nous avons aussi des affiches dans les villes où sont implantés nos magasins.

**Mr Reynolds** —Et est-ce que vos fournisseurs participent aux frais publicitaires?

**Mme Gaspart**—Pas vraiment. Toute la publicité est à notre compte. La seule chose que nous vous demandons, c'est de nous fournir les photos dont nous avons besoin pour notre catalogue.

**Mr Reynolds** —Ça ne pose aucun problème. De notre côté, nous proposons d'organiser à nos frais une journée de formation pour vos chefs de magasin de façon à les motiver et à les familiariser avec le produit. Bien vendre implique une bonne connaissance du produit.

**Mme Gaspart**—Excellente idée! Et quand envisagez-vous d'organiser cette visite? A mon avis il faudrait que ce soit dans un avenir assez proche car nous comptons lancer notre gamme anglaise dans 6 mois environ.

**Mr Reynolds** —Je m'en occupe dès mon retour et je vous téléphonerai pour vous proposer plusieurs dates. Peut-être que vous pourriez demander à vos chefs de magasin quelle période leur conviendrait le mieux.

**Mme Gaspart**—C'est entendu. Je prends note. Ah. Il y a une chose que nous avons oublié de discuter: l'emballage. Notre réputation est fondée sur la qualité, le fini et la présentation de nos produits. Nous sommes donc très exigeants en ce qui concerne l'emballage.

**Mr Reynolds** —Je comprends vos inquiétudes mais vous n'avez pas de souci à vous faire. Le transitaire que nous utilisons a une longue expérience du transport des meubles à l'étranger et ils ont conçu un emballage spécialement adapté au produit et au mode de transport.

**Mme Gaspart**—Vous comprenez qu'il nous faut un emballage qui soit suffisamment solide et étanche pour supporter une manutention fréquente et rapide.

**Mr Reynolds** —Croyez-moi les risques d'avaries sont réduits au minimum. Je peux vous garantir que les marchandises arriveront en parfait état.

**Mme Gaspart**—Je sais que nous sommes couverts par l'assurance mais c'est le temps, l'énergie et le manque à gagner qu'entraîne le renvoi de marchandises endommagées . .

**Mr Reynolds** —Je suis tout à fait d'accord avec vous. Bon, je vois qu'il est presque temps que je me rende à l'aéroport. S'il reste d'autres points à éclaircir, je me tiens à votre entière disposition. Demain, à 9h je serai dans mon bureau.

**Mme Gaspart**—Très bien, je vous remercie. Au revoir et merci encore pour le déjeuner.

**Mr Reynolds** —Je vous en prie. A très bientôt au téléphone, au revoir.

## *Vocabulaire*

aborder une question, un sujet,   *to bring up, tackle a question, subject*
faire de la publicité pour,   *to advertise*
un produit,   *a product*
une campagne,   *a campaign*
une annonce publicitaire,   *an advertisement*
un film, spot publicitaire,   *a commercial*
un support publicitaire,   *advertising medium*
les frais publicitaires (m),   *advertising costs*
un exemplaire,   *a copy*
à l'échelon national,   *on a national scale*
répartir,   *to divide up*
une affiche,   *a poster*
l'affichage (m),   *poster advertising*
(s') implanter,   *to situate, establish*
à notre compte/ à nos frais/ à notre charge,   *paid for by us, at our expense*
la formation,   *training*
former quelqu'un,   *to train someone*
un congé de formation,   *training leave*
motiver,   *to motivate*
la motivation,   *motivation*
familiariser,   *to make familiar with*
impliquer,   *to imply*
prendre note,   *to take note*
l'emballage (m),   *packaging*
le fini,   *finish*

exigeant,   *demanding*
se faire du souci,   *to worry*
un transitaire,   *shipper, forwarding agent*
concevoir (conçu),   *to design (designed)*
étanche,   *waterproof*
la manutention,   *handling*
en bon, mauvais état,   *in good, bad condition*
endommager,   *to damage*
les dommages (m) / les avaries (f),   *damages*
le manque à gagner,   *loss of earnings*
le renvoi,   *return*
se tenir à la disposition de quelqu'un,   *to be available for someone*
à mon avis,   *in my opinion*
en ce qui me concerne,   *as far as I'm concerned*
quant à moi,   *as for me*

## Exercises

*Exercise 1:* **Avez-vous bien compris?**
**Essayez de répondre aux questions suivantes:**

1 Comment se fait la publicité de la Société Meublat?

2 Comment se fait la publicité à l'échelon local?

3 M. Reynolds devra-t-il participer aux frais de publicité?

4 Que propose M. Reynolds à Mme Gaspart?

5 Quand Mme Gaspart espère-t-elle lancer la gamme de meubles anglais?

6 Quels sont les facteurs qui vont déterminer la date de la journée de formation?

7 Qui se charge de l'emballage des meubles anglais?

8 Quel type d'emballage utilise le transitaire?

9 Pourquoi Mme Gaspart insiste-t-elle si lourdement sur le conditionnement des meubles?

10 Pourquoi M. Reynolds doit-il prendre congé de Mme Gaspart?

*Exercise 2:* **Comment diriez-vous en français?**

1 I'd like to tackle the question of advertising.

2 Is our brand name well known in France?

3 We advertise in magazines and the local papers.

4 The suppliers share the advertising costs.

5  We can organise a training day for your sales force.

6  When are you thinking of launching the campaign?

7  This date does not suit me at all.

8  You need not worry.

9  All damaged goods will be sent back to you.

10  We want to avoid loss of earnings.

11  Our forwarding agent only uses strong, waterproof packaging.

## *Exercise 3:* Practise – il faudrait que + subjunctive

### Example
| *I say:* | *You say:* |
|---|---|
| Nous devrions lancer une campagne publicitaire | Oui, il faudrait que vous lanciez une campagne publicitaire. |

—Il devrait faire de la publicité à la télé.

—Je devrais prendre une police d'assurance.

—Vous devriez vendre sous votre propre marque.

—Nous devrions nous implanter à l'étranger.

—Je devrais organiser une journée de formation.

—Nous devrions changer de transitaire.

—Vous devriez fournir des photos récentes.

## *Exercise 4:* Practise – indirect speech

### Example
| *I say:* | *You say:* |
|---|---|
| Est-ce que le transport est compris? | Il a demandé si le transport était compris? |

—Est-ce que l'emballage est spécialement conçu pour les meubles?

—Est-ce que l'assurance est à votre charge?

—Est-ce que la livraison est arrivée en bon état?

—Y a-t-il d'autres points à éclaircir?

—Allez-vous renvoyer les marchandises endommagées?

—Est-ce que l'assurance sera à vos frais?

*Exercise 5:* **Recording Practise**

You are phoning Barbanchon. Because there is an hour's difference between France and England, you find yourself talking to an answer phone.
Say that you have received their order. You can supply everything except for the two armchairs. Delivery in four weeks instead of three because of a problem in your production department. Hope it won't be too inconvienent.
Because of the drop in sterling, prices are 2% less than on the price list.
Ask them to ring you before the end of the day.

## Tasks

*Task 1:* **Dialogue – Maintenant, à vous de jouer!**
You continue your discussions with Mme Ferrand

(*Say that you would like to discuss the advertising backup*)

**Mme Ferrand**—Eh, bien, notre entreprise est suffisament importante pour faire de la publicité à l'échelon national.

(*Ask her what media they have decided to choose*)

**Mme Ferrand**—Nous allons concentrer notre action sur les magazines féminins.

(*Ask which particular women's magazines she has in mind*)

**Mme Ferrand**—Jusqu'à maintenant nous avons fait de la publicité dans les magazines *Elle* et *Marie-Claire.*

(*Say you know of these two particular magazines and they are right for the type of consumer you wish to reach*)

**Mme Ferrand**—En ce qui concerne la livraison, vos délais sont de trois mois environ, n'est-ce pas?

(*Say that's right. You could possibly deliver the first order within two months*)

**Mme Ferrand**—Parfait, nous voulons démarrer la campagne publicitaire assez rapidement car nous souhaitons lancer les produits vers le mois de mars.

(*Say that in that case, if she places an order now, she will be guaranteed delivery for March. Add that you would like to have a look at their advertising campaign*)

**Mme Ferrand**—Mais bien sûr. Je vais vous l'envoyer. De cette façon vous pouvez consulter le média-planning.

(*Say this is an excellent idea; it is important that you work in close collaboration*)

**Mme Ferrand**—Bien entendu, nous avons bon espoir de passer des commandes plus importantes dans l'avenir.

(*Say that you hope so too and that you will send them your catalogues regularly*)

**Mme Ferrand**—Merci beaucoup. Il ne me reste plus qu'à vous souhaiter un bon retour à Maidenhead.

*(Say thank you, goodbye and that you look forward to meeting her again)*

### Task 2
You are Mme Gaspart phoning the magazine *La Maison Française* to discuss her advertising contract with them. Cover the following points:

—tell them you are now promoting a range of English reproduction furniture

—say you wish to review your contract with them and alternate your current advertisement with one for the new range

—discuss the drafting of the advertisement; say you can supply photos or do they wish to take their own?

—ask if the price would be the same. You wish to keep a whole page colour ad.

—arrange a meeting at their office or yours.

### Task 3
Mr Reynolds sends a telex to Mme Gaspart offering three possible dates in September: 6, 9, or 13 for the training session of her store managers. He asks how many managers would be attending per session and if he should deal with the travel arrangements. If so, would she send details of their departure point. Write the telex.

### Task 4
Mme Gaspart informs Mr Reynolds by phone or by telex of what was decided at the board meeting.

—the English range will be sold in 5 shops to start with: Paris, Lyon, Tours, Bordeaux, Rouen.

—the five store managers concerned will be going to England on 9th September for the training session. They'll all be travelling from Paris.

She will deal with the travel arrangements. She wants to know at what time the training session will start and end.
    Make the phone call or write the telex.

## Oral Summative Assignment

After her meeting with Mr Reynolds, Mme Gaspart meets her Managing Director to bring him up to date on progress so far.
She covers the following points:

—her meeting with Mr Reynolds in the restaurant

—the details of the order she is placing – the specific articles she has chosen and why

—the prices agreed on

—the delivery and payment terms

—advertising

—packaging and transport

—future training sessions planned

Act the part of Mme Gaspart.

# Correspondance

## Useful Phrases

### *Acknowledgement*
Nous avons bien reçu votre lettre . . .

Nous accusons réception de . . .

Nous vous remercions de . . .

Comme suite à . . .

En réponse à . . .

### *Enclosures*
Nous vous adressons ci-joint (ci-inclus)

Vous trouverez ci-joint (ci-inclus)

Veuillez trouver ci-joint

### *Requests*
Veuillez . . .

Nous vous prions de . . .

Nous vous prions de bien vouloir . . .

Nous vous serions reconnaissants de . . .

Nous vous serions obligés de . . .

Veuillez avoir l'obligeance de . . .

### *Polite Phrases*
Nous avons le plaisir de . . .

C'est avec plaisir que . . .

Nous nous ferons un plaisir de . . .

### *Endings*
Veuillez agréer, Monsieur, l'expression de mes sentiments distingués

Veuillez agréer, Monsieur, mes salutations distinguées

Veuillez agréer, Monsieur, l'expression de nos sentiments dévoués

## Les Départements

La France est divisée en 95 divisions administratives appelés DEPARTEMENTS. Chaque départment porte un nom et un numéro. La ville principale du départment est le siège du gouvernement local.

Le numéro du département est d'autant plus important qu'il constitue les deux premiers chiffres du *code postal*:

ex: Madame FRIGOUT
4 rue du paradis
50700 VALOGNES

En examinant le code postal vous saurez que la lettre vient du département *LA MANCHE* qui porte le numéro *50*.

## Lettre No. 1

### Rédigez la réponse à la lettre de M. Deschamps

—Accusé de réception

—Excuses pour le retard dû aux très nombreuses demandes

—Envoi du catalogue avec les prix et les conditions habituelles de livraison et de paiement

—Espoir de recevoir bientôt une commande

—Formule de politesse

---

# Quincaillerie Derain

3, place de l'Eglise
14124 Saint—Sever
CALVADOS


                                              Ets DEROCHE
                                              22 rue Champ l'Abbé
                                              67010 STRASBOURG


Vos Réf:
Nos Réf:  LD/PS


                                              Saint-Sever, le 20 janvier 198-


Objet:  Envoi du catalogue


Messieurs

A l'occasion du Salon des Arts Ménagers au mois de janvier j'ai eu le
plaisir de visiter votre stand et de parler avec un de vos représentants
en vue d'une commande éventuelle de casseroles.

Or je n'ai toujours pas reçu votre catalogue avec les prix et conditions
de vente.

Je vous serais donc reconnaissant de me le faire parvenir le plus rapidement
possible car je voudrais être approvisionné pour le printemps.

Veuillez agréer, Messieurs, l'espression de mes sentiments distingués.

L. Deschamps

## Lettre No. 2

**Rédigez la réponse de la Société Dupré à Madame Nelle.**

*Plan de la lettre*

—Accusé de réception

—Acceptation de la proposition

—Livraison pour le 15 septembre si la commande est passée par retour

—Souhait de recevoir l'ordre

—Formule de politesse

---

```
Madame NELLE
5 rue de la Poste
13100 AIX EN PROVENCE


                                    Société DUPRE
                                    58 avenue des Ramparts
                                    16000 ANGOULEME


                                    Aix en Provence, le 4 juin 198-


Vos Réf:
Nos Ref: ER/MN

Objet:   Demande d'escompte


Monsieur

J'ai bien reçu les photographies de votre nouvelle gamme de bijoux
fantaisie, ainsi que les échantillons joints.

Je serais disposée à vous passer une commande s'élevant à environ
12 000 FRF.

Dans vos conditions générales de vente, vous prévoyez un réglement par
traite à 60 jours fin de mois de livraison.  Comme je suis en mesure de
vous régler par chèque en fin de mois de livraison, je vous prie de
bien vouloir accepter en contrepartie de ce paiement anticipé, un
escompte de 3%.

Je vous serais reconnaissante de répondre rapidement à ma proposition
car je voudrais être approvisionnée aux environs du 15 septembre.  Si
vous me donnez votre accord, je vous enverrai ma commande par retour de
courrier.

Veuillez agréer, Monsieur, l'expression de mes sentiments distingués.


                        M. Nelle

                    M. NELLE
```

## Lettre No. 3

### Rédigez la réponse d'Editions et Régies Nouvelles

—Accusé de réception

—Excuses pour l'erreur: l'employé qui a accepté la commande était mal informé; stocks épuisés, délai de livraison: un mois.

—Espoir que ce retard ne causera pas de préjudices.

—Formule de politesse.

# Librairie du Coin

*36, rue des Bouchers*
*69005 LYON*

```
                              Editions et Régies Nouvelles
                              19 avenue Victor Hugo
                              67000 STRASBOURG


                              Lyon, le 2 décembre 198-

Vos Réf:
Nos Réf: AR/KH

Objet: N/commande
       du 2 novembre



Messieurs

A la demande d'un de mes clients, je vous ai commandé, par téléphone,
le 2 novembre dernier:-

     20 Géographies - Classe de Première, prix de catalogue 45F.

Ce jour-là vous m'aviez assuré d'une livraison dans la quinzaine mais
je n'ai toujours rien reçu.

Aussi devant les réclamations de mon client qui m'a déjà téléphoné
trois fois, je vous prie de faire le nécessaire pour que cette commande
me soit expédiée le plus tôt possible.

Veuillez agréer, Messieurs, mes salutations distinguées.
```

A. Rougeyron

## Lettre No. 4

### Rédigez la réponse de M. Leclef à M. Chapoix

—Accusé de réception

—Invoquer l'expédition le 25 mai d'une circulaire à tous les clients avisant d'une hausse de 2% due à une majoration du coût des matières premières

—Impossibilité d'appliquer l'ancien tarif

—Regret de ne pouvoir modifier la facture

—Formule de politesse

```
Maroquinerie LEVOISIER
5 rue Neuve
68100 MULHOUSE


                                     A l'attention de M. LECLEF


                                     Tout Cuir S.A.
                                     22 rue du Midi
                                     75013 Paris


                                     Mulhouse, le 10 juin 198-

Vos Réf:
Nos Réf:   GC/ER


Objet:  V/Facture no. 480


Monsieur

A la réception de votre facture no. 480 concernant ma commande de sac à
mains, j'ai constaté que les prix des sacs en cuir ne correspondent pas
à ceux qui figurent sur votre tarif courant.  Les prix des sacs en simili-
cuir sont conformes au tarif.

Comme vous ne m'avez pas avisé d'une augmentation, je vous prie de
revoir cette facture.

En comptant sur une rectification rapide de cette erreur, je vous remercie
d'avance et vous prie d'agréer, Monsieur, l'expression de mes salutations
distinguées.


G. Chapoix
```

## Lettre No. 5

### Rédigez la réponse de Bernard Vanier à Jean Claude Sépède

*Plan de la lettre*

—Accusé de réception

—Acceptation exceptionnelle du report de la moitié de la somme due sans intérêt. L'autre moitié: réglement 30 juillet. Raisons invoquées: importance de la commande, ancienneté des relations.

—Souhait que la solution soit satisfaisante

—Formule de politesse

---

Monsieur Jean Claude SEPEDE
19 boulevard de la Pléiade
31800 Toulouse

        Monsieur Bernard VANIER
        Créations du Jardin
        52 rue de la Gare
        81150 ALBI

        Toulouse, le 20 juin 198-

Objet:  Facture No. V4941

Monsieur

A la fin de ce mois, je dois vous payer, par chèque, la facture V4941 correspondant à la livraison que vous m'avez faite le 10 mai et dont le montant s'élève à 85 480FF.

Je crains de ne pas être en mesure de faire face à cette échéance. Contrairement à ce qui s'est passé les années précédentes, la clientèle attend pour effectuer ses achats de meubles de jardin, ce qui me pose des problèmes de tresorerie.

Je vous serais donc reconnaissant de bien vouloir reporter à juillet l'échéance de ma dette.

C'est la première fois que je sollicite de votre part un report de paiement. Par ailleurs la commande que je vous ai faite au printemps était nettement plus importante que les précédentes. J'espère donc que vous examinerez ma demande avec une bienveillante compréhension.

Veuillez agréer, Monsieur, l'expression de mes meilleures salutations.

*J. C. Sépède*

    J. C. Sépède

# Lettre No. 6

**1 Traduisez la lettre ci-dessus en anglais.**

**2 Faites une liste chronologique des communications entre les deux parties.**

*ex*: 24 mars: commande . . . Madame Letouzé . . . Monsieur Lebrun

---

```
Madame LETOUZE
8 rue des Cerisiers
27041 EVREUX


                              Monsieur LEBRUN
                              79 avenue du Parc
                              76450 ROUEN


                              Evreux, le 8 mai 198-


Objet: Facture No. 45

Monsieur

Je viens de recevoir votre facture du facture du 7 mai concernant la
livraison d'articles que vous m'avez faite le 25 avril.

Je suis surprise d'y trouver la mention: 'Reglement par chèque au 30
mai'.

Dans la lettre de commande du 24 mars, je vous précisais que je
réglerais à 90 jours de la livraison par lettre de change acceptée et
domiciliée à la Société Générale.  Cette échéance avait été prévue pour
des raisons de trésorerie et ma commande était subordonnée, à ce délai.

Comme vous n'avez pas répondu à ma lettre du 24 mars, je suis en droit
de considérer que vous avez accepté les modalités de paiement que je
vous proposais.

Je vous serais donc reconnaissante de tirer sur moi-même, au 25
juillet, une lettre de change de 7 560 FF, que j'accepterai volontiers.

Je souhaite que vous ne soyez pas gêné par cette difficulté que je ne
pouvais prévoir.

Veuillez agréer, Monsieur, mes salutations distinguées.


                         Mme. A. Letouzé

                         Madame A. Letouzé
```

## Lettre No. 7

**1  Traduisez la lettre ci-dessus**

**2  Rédigez la réponse de Mr Clarke à M. Duchêne**

*Plan de la lettre*

—Accusé de réception

—Acceptation de la commande d'essai

—Prix: £27 le carton F.O.B. Londres

—Acceptation du mode de paiement

—Formule de politesse

---

### Générale de Confiserie et Distribution

7, rue Nobel
**NOUMÉA**
Nouvelle—Calédonie

```
                              Thornhill Confectionery Ltd
                              Somerset Industrial Estate
                              St Helens
                              Merseyside
                              Angleterre
```

Nos Réf: 247/GV/JCD
Vos Réf: PC/PS

Nouméa, le 6 juin  198-

A l'attention de Monsieur P. Clarke

Monsieur,

Nous avons bien reçu votre lettre du 4 juin 198-, et nous serions
intéressés par l'achat de votre produit GOLDEN NUTBAR.

Nous avons noté que vous exigiez un minimum de commande de £2000 mais
nous ne connaissons pas vos produits.  Nous souhaiterions dans une
première commande examiner la réaction des clients et la conservation
de vos produits sur le Territoire de la Nouvelle-Calédonie.

Vous voudrez bien nous expédier dans ce cas 10 cartons de GOLDEN NUTBAR
(Kent) 24x10.

Notre transitaire est EUROTRANSPORT à DUNKERQUE BP 3181, 59377
DUNKERQUE, TLX 160828 FRANCE, qui prendra contact avec vous pour
l'expédition au départ de Londres.  Paiement contre remise des
documents à notre banque la SOCIETE GENERALE, BP G 2, Agence de Ducos,
Nouméa cedex, Nouvelle-Calédonie.

Dans cette attente,

Nous vous prions de croire, Monsieur, en l'assurance de nos salutations
distinguées.

                              Le Gérant

                         *J.C. Duchêne*
                         J. C. Duchêne

# Lettre No. 8

## 1 Traduisez la lettre ci-dessus en anglais.

## 2 Rédigez la lettre de M. Dylan à M. Duval

*Plan de la lettre*

—Accusé de réception

—Regret

—Action: service d'expédition averti–emballage conforme aux instructions

—Action 2: transporteur averti–réclamation enregistrée

—Excuses

—Formule de politesse

```
Monsieur DUVAL
DUVAL S.A.R.L.
rue du Château
76230 BOIS-GUILLAUME


                              Monsieur DYLAN
                              MULTIWRAP LTD
                              Turnpike Way
                              SLOUGH, Berks
                              Angleterre


                              Bois-Guillaume, le 19 mai 198-


  Monsieur

  Nous avons le regret de vous informer que les marchandises que vous
  nous avez expédiées jusqu'à maintenant, nous sont parvenues en
  mauvais état.

  Toutes vos marchandises devraient théoriquement nous être livrées dans
  des cartons de bonne qualité et sur des palettes filmées.  Or, la
  plupart des palettes arrivent chez nous en vrac, palette non filmée ou
  très mal filmée.  Les cartons ne tiennent pas sur la palette et
  arrivent toujours déformés ou écrasés.

  Nous vous demandons de noter que dorénavant nous voulons des cartons
  doubles, sur des palettes solides et doublement filmées.

  Veuillez par ailleurs demander à votre transporteur de faire très
  attention à cette marchandise et de ne pas monter nos palettes sur des
  fûts comme cela s'est déjà produit.

  En conséquence, nous vous prions de nous faire parvenir 50 cartons à
  plats vides et 200 boîtes déjà collées mais à plat afin de remplacer
  celles qui sont abîmées.

  En espérant recevoir le colis très prochainement,

  Nous vous prions d'agréer, Monsieur, l'expression de nos salutations
  distinguées.



                              A. DUVAL
```

## Telex 1

```
DUNAL 180427 F
060 1649
946132 VERPA G

TELEX NUMBER 7433  1.3.8...

A L'ATTENTION DE MONSIEUR LECLERC

BONJOUR MONSIEUR
MERCI DE VOTRE TELEX
CONDITIONS DE VENTE:

ENVOI:  MAX 3 SEMAINES APRES RECEPTION DE
VOTRE COMMANDE
PAIEMENT PAR LETTRE DE CHANGE 60 JOURS
APRES DATE DE FACTURE
PRIX FRANCO
JE VOUDRAIS VOUS RENDRE VISITE LE 14.3.8...
SERAIT - IL POSSIBLE DE FIXER UN RENDEZ-VOUS LE MATIN?
MERCI DE VOTRE RESPONSE
SINCERES SALUTATIONS
D. ERVINE

946132 VERPA G
DUNAL   180427 F
```

**Rédigez le télex que M. Leclerc envoie à M. Ervine**

—Il voudrait avoir plus de précisions sur le prix

—Il voudrait demander que le délai de paiement soit de 60 jours après livraison

—Il pourra rencontrer M. Ervine à 10h30 le 14 mars.

## Telex 2

```
056231  SIPEX G
CARTEL 180478 F

LE 19 AVRIL 198.

ICI SOCIETE CARITEL

A L'ATTENTION DE MONSIEUR THORNE DIRECTEUR D'EXPORTATION

MONSIEUR

NOUS VOUS REMERCIONS DE VOTRE DERNIER COURRIER ET DE VOS
ECHANTILLONS

POUR VENDRE SUR LE MARCHE FRANCAIS, IL CONVIENDRA QUE VOS
BOITES SOIENT MARQUEES 'FABRIQUE EN ANGLETERRE'

QUELS SONT VOS DELAIS DE LIVRAISON?  POUR DES COMMANDES
DE 10 000?

NOUS SOUHAITERIONS AVOIR UN CONTACT AVEC VOUS OU
QUELQU'UN DE VOTRE SOCIETE POUR DISCUTER
DE L'IMPLANTATION DE VOTRE PRODUIT
SUR LE MARCHE FRANCAIS PAR NOTRE CANAL

NOUS POUVONS VOUS RENCONTRER A
PARIS.  MERCI DE NOUS APPELER
8 JOURS AVANT POUR CONVENIR
D'UN RENDEZ-VOUS.

SINCERE SALUTATIONS

T. RENAUT

CARTEL 180478 F
05631 SIPEX G
```

**Rédigez le télex que. M. Thorne envoie à M. Renaut**

—Pas de problème en ce qui concerne l'inscription sur les boîtes

—Livraison 4 semaines max.

—Visite le 12 mai

# Assignments

## Assignment 1

### *Scenario*

You are the sales director of SINTEX LTD., a well-established family firm which manufactures high quality furniture. The company was founded a hundred years ago by the great-frandfather of the present managing director. It has three factories–one in Cheltenham where its head office is, one in Birmingham and one in Glasgow. Each of these employs between 75 and 100 people. The company specialises in the manufacture of reproduction furniture, which it already exports to Australia, New Zealand and Canada.

Delivery dates are 8 to 10 weeks on receipt of orders. Payment terms are 60 days or 30 days with a discount of 2.5%.

John Herrington, the managing director, has asked you to draw up a sales campaign to export Sintex furniture to Europe, starting with France. A market survey carried out has shown that this type of furniture would meet the requirements of the high income brackets of France.

As part of the preparation for this sales campaign you visit France to gather additional information. . . and also to drum up some business where possible. . .

### *Brief*

You have an appointment with Monsieur Servant of MAISON NOVOSTYLE, a chain of furniture stores in Northern France, specialising in the sale of high quality furniture.

### *Task 1*

Introduce yourself and your present company.

—Show your catalogue and present your product.

—Discuss your sales conditions.

—Try to find out as much as possible about Novostyle from Monsieur Servant.

—Try to persuade him that your product meets his customer's requirements.

—Find out if he has ever been to England–explain the merits of a visit to one of your factories.

### *Brief*

You have received a telephone call from Monsieur Servant telling you that he is coming to England on business in the 1st week of June. He would like to meet you and visit one of the factories. He'll be hiring a car.

**Task 2**
*Send a telex to Monsieur Servant*

—Express pleasure at meeting him.

—Say you are available first week of June apart from Wednesday.

—Suggest visit to the Cheltenham factory because it is where the yew range is manufactured and the market research has shown a preference for this type of wood by the French people and also because he will be able to meet the managing director and see the offices.

—Explain where Cheltenham is in relation to London and remind him that directions to find the industrial estate where they are situated is on the back of the brochure.

—Suggest he informs you which day he will be coming–invite him for lunch.

—Say you remain at his disposal for further information.

## Assignment 2

### Brief

You are working for POLYVEND LTD., Witney, Oxon, who have developed and successfully launched on the UK market a new type of coffee vending machine for use in companies and organisations.

They are now participating in an international trade fair called 'EQUIPHOTEL' at the Birmingham Exhibition Centre, with a view to promoting their products to potential foreign customers. They have already undertaken market research in France, with positive results, and now intend setting up a network of importers/distributors in that country.

As a linguist, you have been selected as one of the team manning the stand. You must obviously be prepared to answer any questions which a potential French customer would be likely to ask concerning your company, its products, the way they are marketed in the UK, after-sales service, your company's plan regarding the French market, etc. You should also be sure to obtain information about the potential customer, his company and its requirements so that you can assess their needs in relation to your company's products.

### Product Information

—see attached leaflet.

—outstanding feature: coffee freshly made by filter method, given that market studies have shown that this is the most popular form of coffee drinking at present on the market.

—purchase or leasing as methods of payment used in UK.

—modifications possible according to individual requirements of company e.g. hot chocolate and fresh tea.

—price per cup flexible according to company policy (subsidised, profit-making or non-profit making).

—excellent supporting maintenance service in UK, including supplies of materials (coffee, filters etc.)

—brochures currently available in English, in process of being translated into French.

—prices in UK (see price list).

### Task 1

Monsieur Morin, a French importer of vending machines arrives at your stand. Answer his questions and find out what his interest is.

**Task 2**
One week later you write a letter to Monsieur Morin to follow up his inquiry:

—say it was a pleasure to meet him at the exhibition.

—hope he has received the additional documentation which you sent him. Apologise for the fact that they are in English and offer to provide any further explanations he may require.

—enclose a price list for France. State that the prices are free delivered to his address exclusive of local taxes.

—since you will shortly be setting up a network of distributors in France, could he confirm if he is still interested?

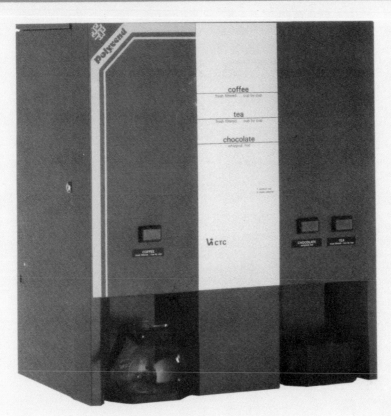

# *Brewfresh CTC*
## Beverage Systems

Freshly brewed leaf tea, ground coffee and whipped hot chocolate.

The new Brewfresh CTC hot beverage system represents the latest application of single cup brewing technology in a new table-top format. Incorporating two patented brewers, one for fine grind coffee and one for leaf tea, the CTC offers the two most popular hot beverages and whipped hot chocolate that are sure to please even the most discerning palate.

Utilising the unique VENDKING patented brewing system the brewer is currently a standard by which all other systems are measured.

VENDKING's patented agitation-suction brewing process ensures that each cup of coffee or tea is brewed to perfection. Renowned for its simplicity of design and maintenance-free operation, the VENDKING brewer is the heart of the new CTC hot beverage system.

# Brewfresh CTC

## DESIGN FEATURES

The Brewfresh CTC is available in one of two configurations, 'Free Vend' or 'Coin' operated. All coin models include a 'Free Vend' switch. 'Free Vend' models dispense freshly brewed coffee, tea and whipped hot chocolate at the push of a button.

## STANDARD FEATURES

- 2 VENDKING brewers.
- Non-resettable electric vend counter.
- Filter tape 'sold out' safety shut off.
- Heater burnout safety switch.
- 1.2 gallon welded S.S. hot water tank with solid plastic float.
- Water tank overflow safety shut off.
- Simple screwdriver adjustment for water and product quantity.

## OPTIONS

Multi-cup kit - On the Free Vend model only, dial the number of cups required (up to 10) for use with a carafe.

Auxiliary Water Tank - Makes 100 cups plus, where mains water is not available. Easily attached or removed, the Auxiliary Water Tank is equipped with an automatic low water level switch and warning light.

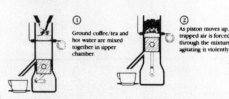

① Ground coffee/tea and hot water are mixed together in upper chamber.

② As piston moves up, trapped air is forced through the mixture agitating it violently.

③ Piston moves down, sucking the brewed coffee/tea into the lower cylinder.

④ As the piston passes discharge port, coffee/tea pours out under gravity. The brew-chamber then rises, filter paper advances the spent grounds out of brew area. Cycle is complete.

## SPECIFICATION BREWFRESH CTC

| MODEL Brewfresh CTC | Height | Width | Depth | Floor Loading Weight (lbs) | Floor Clearance |
|---|---|---|---|---|---|
| Size | 30" (76 cm) | 26" (66 cm) | 19" (48 cm) | 143 | Counter Top Unit |
| Electricity and Water Supply | 240v 50Hz 13 amp fused (2.7 kw thermostatically controlled heater). Drinking water supply (15mm terminated by stop-cock BS1010) Mains water pressure 34.5kw/m² to 690kw/m² | | | | |
| Coin Mechanism | When required single price Mars MS150 5 coin input. MS1604 change giver available on request. | | | | |
| Selections Capacity | Three - fresh ground coffee - fresh leaf tea - whipped hot chocolate<br>Fresh ground coffee 4.4 lbs (2kg) approx 300 cups<br>Fresh leaf tea       3.3 lbs (1.5kg) approx 500 cups<br>Chocolate           7.0 lbs (3.2kg) approx 160 cups<br>Multi cup dial optional extra - dial up to 10 cups for carafe or jug facility. | | | | |
| Finishes | Brown Paint - satinised matt gold. | | | | |
| Filter Paper | Two rolls - sufficient for 2,500 cups each approximately. | | | | |
| Security | Separate lockable cash box with coin operated machines | | | | |
| Base Cabinet with Twin Cup Disp. | Height 36" (91.5 cm)   Width 26" (66 cm)   Depth 24" (61 cm) | | | | |
| Notes | Auxiliary water tank available for unplumbed locations Capacity 4.2 gallons Rear mounted 30" (76 cm) high - 10" (25 cm) wide - 6" (15 cm) deep weight 18 lbs Electricity and water supply to be within 2 metres of machine. | | | | |

Full supporting maintenance service throughout the U.K.

 **Polyvend**

Polyvend Ltd. Station Lane, Witney, Oxon. OX8 6BU
Tel: (0993) 74601/9 Telex: 837534 Polven.
Fax No. 0993 71830

AVAB

**Polyrend**

## *Brewfresh 200*
### Beverage Systems

Freshly brewed leaf tea or ground coffee

The Brewfresh principle delivers filtered coffee or tea of superb quality, cup by cup when you want it. Each individual cup is made from fresh tea or ground coffee with reliable consistency. You can't make a finer cup!

## Assignment 3

*Brief*

You work in the Export Department of MULTIWRAP LTD., a manufacturer of clingfilm and aluminium foil. The Export Sales Manager has just concluded a deal with TR France who have agreed to distribute their product under their own brand name 'Distripack' (see p. 129).

*Task 1*

Translate the contract into English.

*Task 2*

Send a telex to Monsieur Louis FRIGOUT, Purchasing Manager of TR asking him to give you two months' notice before he places his next order so that you can get the Distripack boxes printed.

## Assignment 4

*Brief*

You work for 'MIRACLEFIRES', a manufacturer of gas fires with log and coal effects.

They have decided to go into the export market and as an intial step wish to take part in the 198_ 'Salon International des Arts Ménagers' in Paris. However, they are not sure of their eligibility to exhibit nor of what conditions they will have to fulfil.

*Task*

Read the contract (pp. 130–33) and sum up the relevant sections in a memo to the Sales Director, Mr Grazebrook.

# TR France

siège social
boulevard de l'Ours
95006 Cergy Pontoise cedex
téléphone: 3/031 61 74   télex 695142
téléphone direct du signataire:
3/031 77 14

Cergy, le 3 décembre 198

MULTIWRAP LTD
Cressex Estate
High Wycombe
Bucks   HP12 3HX

A l'attention de Monsieur Dylan

CLAUSES DU MARCHE No 400536/59/IMPORT

La négociation pour la définition du nouveau prix interviendra
1 mois au minimum et 2 mois au maximum avant la date d'achève-
ment du prix actuel.

Si celle-ci ne devait pas aboutir à un accord, TR se réserve
le droit de dénoncer le présent marché sans qu'aucune indemnité
sous quelque forme que ce soit, ne puisse lui être réclamée.

Si les conditions économiques venaient à être modifiées en
cours de contrat de telle façon que TR ne soit plus en mesure
de respecter les obligations lui incombant par le présent
marché, une négociation interviendrait avec le fournisseur
à la demande de TR France pour établir les conditions d'achat
du solde restant à livrer ou à fabriquer.

Dans tous les cas, la prolongation pour livraison du solde
n'excédera pas la durée de validité du présent marché.

Les livraisons doivent être conformes aux spécifications et
standards de conditionnement et donner satisfaction à l'utili-
sation, ce qui implique l'acceptation sans réserve de conclu-
sions de nos services techniques.

Aucune modification de quelque nature que ce soit, ne pourra
intervenir sans accord préalable de TR.

Cette lettre doit nous être retournée signée avec l'accusé de
réception du marché correspondant.

Louis Frigout                    CACHET et VISA
Chef du Service Achats           Pour accord du Fournisseur
Produits Finis :

*Louis Frigout*

# 5ᵉ **SALON INTERNATIONAL PROFESSIONNEL DES ARTS MÉNAGERS**

réservé au
Commissariat Général
premier versement :

**PARIS-NORD VILLEPINTE**
**9-12 janvier 1987**

# «PERSPECTIVES 87»

## 1ᵉʳᵉ semaine mondiale des professionnels de l'équipement et de la décoration de la maison

La semaine mondiale des professionnels de l'équipement et de la décoration de la maison, c'est la réunion de 10 salons professionnels internationaux : (Approfal, Arts Ménagers, Ateliers d'Art, Interkit, Luminaire, Maison des Internationaux Créateurs, Meuble, New Parallèle, Table et Cuisine, Tapis Artisanal) sur une même période, à Paris - Ce sont 3.200 exposants sur 340.000 m² d'exposition qui unissent leurs efforts pour faire de Paris, du 8 au 12 janvier 1987, un pôle d'attraction professionnel d'une puissance sans égal dans le monde et créer ainsi une dynamique commerciale exceptionnelle.

# contrat de participation

à retourner au Salon International Professionnel des Arts Ménagers, 22, avenue Franklin-Roosevelt - F-75008 Paris accompagné du premier versement règlementaire et de la documentation concernant les produits devant être exposés.

(Vérifier l'exactitude des renseignements figurant sur cette étiquette)

**1. fabricant**

nom ou raison sociale : _____      code APE ☐☐☐☐
                                                              (pour les fabricants français)

adresse sociale : _____      téléphone : _____

code postal : _____      télex : _____

**2. importateur** (pour les exposants étrangers) :

nom ou raison sociale : _____

adresse : _____

code postal : _____ tél. : _____ télex : _____

**3. nom du responsable de la participation au Salon** _____

nom et adresse de facturation (si différente de l'adresse sociale) _____

_____

**4. enseigne du stand** (16 caractères maximum) _____

## 5. pour mieux vous connaître

(répondre avec soin au questionnaire suivant, ces renseignements confidentiels sont pris en considération pour l'attribution des stands)

êtes-vous :                                   fabricant ☐                                   assembleur ☐
(cocher la case)

adresse de l'usine (ou des usines) : _____

_____

_____

nom et adresse du (ou des) syndicat(s) au(x)quel(s) vous êtes rattaché : _____

nombre d'ouvrier ou employés spécialement affectés à la fabrication du matériel ou des produits à exposer :

_____

chiffre d'affaires H.T. en 1985 pour le département «Ménager» : _____

dont pour l'exportation : _____

afin de pouvoir, le cas échéant, nous mettre en rapport avec les responsables de votre entreprise, nous vous serions

obligés d'indiquer ci-dessous :

le nom du Président-Directeur-Général : _____

le nom du responsable du Service Exportation (adresse et téléphone éventuellement) : _____

_____

le nom de l'attaché de presse ou de l'agence de relations publiques (adresse et téléphone éventuellement) : _____

_____

## 6. conditions de participation

(prix hors taxes fixés par le Comité de Coordination le 19 décembre 1985 - article 11.4 du règlement général de la F.S.S.)

pour les 20 premiers mètres carrés _____ le m² **603 FF**

pour chaque mètre carré supplémentaire, jusqu'à 60 m² _____ le m² **691 FF**

pour chaque mètre carré au delà de 60 m² _____ le m² **777 FF**

Promosalons et participation à la propagande et à la publicité _____ par m² **40 FF**

droit d'inscription _____ **600 FF**

**intérêts pour retard de paiement** (non respect des échéances - 1er acompte et solde) : 1,5 **%** par mois de retard.

assurances (article 41 du règlement particulier du salon)

    a) matériel assuré pour un capital de _____ **FF** (prime calculée à 13 FF pour mille)

    b) agencement du stand assuré pour _____ **FF** (prime calculée à 13 FF pour mille)
             (pour a et b, franchise de 850 FF)

    c) responsabilité civile : 10 FF

## 7. conditions d'admission

### A - admission

**A 1** - Peuvent être présentés au SALON INTERNATIONAL PROFESSIONNEL DES ARTS MÉNAGERS, les matériaux, machines, appareils, dispositifs, meubles, objets et produits de fabrication française ou étrangère, entrant dans la conception, la construction, l'aménagement, l'équipement, l'ameublement et la décoration du foyer familial ou susceptibles d'assurer son fonctionnement et la vie quotidienne de ses habitants et de contribuer à leur confort et à leur agrément.

Le Comité de Coordination se réserve le droit d'exclure les appareils ou produits qui ne lui paraîtraient pas correspondre à la définition ci-dessus, de même, il pourra admettre, dans des conditions dont il est seul juge, l'exposition d'appareils et de produits qui, tout en ne présentant pas le caractère nettement défini par le premier alinéa, lui semblerait cependant présenter un intérêt incontestable pour l'aménagement ou la décoration du foyer.

**A 2** - Les exposants présentant les matériaux, machines, appareils, dispositifs, meubles, objets ou produits définis à l'article A 1 sont répartis en trois grands groupes à l'intérieur du SALON INTERNATIONAL PROFESSIONNEL DES ARTS MÉNAGERS.
a) appareils ménagers et électroménagers, chauffage, machines à coudre et à tricoter et leurs composants;
b) aménagement de la cuisine et de la salle de bains;
c) articles pour la table et le ménage, ustensiles, objets et produits destinés à l'équipement du foyer ou à son entretien.

**A 3** - peuvent être admis :
1) Les constructeurs français proprement dits, c'est-à-dire les entreprises disposant en France d'usines ou d'ateliers effectuant tout ou partie des opérations de fabrication ou d'assemblage de matériel ou de produits ménagers;
2) Les entreprises françaises distribuant sous leur marque, à l'échelon national, des appareils ou des produits ménagers fabriqués ou assemblés pour leur compte par des constructeurs français ou étrangers, à l'exclusion de tout autre appareil ou produit concurrent français ou étranger.
3) Les entreprises de caractère mixte dont l'activité relève pour partie du paragraphe 1 et pour partie du paragraphe 2.

4) Les constructeurs ou entreprises étrangers répondant dans leur propre pays, aux caractéristiques énoncées dans les paragraphes 1, 2 et 3 ci-dessus, concernant les constructeurs et entreprises français, à l'exclusion de toutes autres entreprises n'entrant pas expressément dans une des dispositions ci-dessus.

**A 4** - Ces admissions ne peuvent être envisagées que dans les limites de superficie arrêtées par le Comité de Coordination pour chacun des groupes et à l'intérieur des groupes, pour chacune des sections.

**A 5** - Afin de conserver au Salon l'unité et l'équilibre de sa présentation, la surface des stands, dans chacun des trois groupes, sera comprise entre un minimum de 9 m et un maximum déterminé annuellement par le Comité de Coordination.

**A 6** - Les stands seront attribués aux fabricants ou aux marques de fabricants tels que définis à l'article A 3 - 2°. La totalité de la production du fabricant ou des matériels ou produits à sa marque pourra être exposée dans un même stand, dans la mesure où elle correspondra à la classification du Salon.
Les stands multiples seront tolérés, à condition qu'ils soient affectés dans des sections différentes correspondant à des fabrications différentes, sans possibilité de rappel; la superficie totale attribuée ne pourra pas dépasser la superficie maximum dont pourrait disposer l'exposant s'il n'occupait qu'un seul emplacement.

### B - obligations de l'exposant
#### B 1 - droits de participation - paiement
Le paiement des frais divers de participation a lieu en trois versements :
**premier versement** : Le premier versement représente 15 % des droits de participation et le montant du droit d'inscription. Il devra être effectué avant le 1er mai 1986.
**deuxième versement** : Le deuxième versement représente 35 % des droits de participation; il devra être effectué avant le 10 juin 1986; le premier et le deuxième versement restent acquis au Commissariat Général en cas de renonciation à son stand par l'exposant.
**troisième versement** : Le troisième versement comprend : le complément des droits de participation, le montant de l'assurance, les taxes. Il devra être effectué par chaque exposant dès la réception de l'avis de répartition de l'emplacement concédé et au plus tard à la date indiquée sur cet avis. En cas de désistement dans les soixante jours qui précèdent l'ouverture de la manifestation, les sommes encaissées seront conservées et, si le règlement intégral des droits de participation n'a pas été effectué, il sera dû au Commissariat Général du Salon International Professionnel des Arts Ménagers une indemnité de résiliation à titre de clause pénale d'un montant égal aux sommes restant dues.
L'attribution de l'emplacement ne pourra être considérée définitive par l'exposant qu'après réception du certificat d'admission établi après acquittement intégral des droits de participation et taxes annexes.

#### B 2 - règlement judiciaire
En cas de mise en règlement judiciaire postérieure à l'enregistrement de l'adhésion, celle-ci sera considérée comme caduque. Toutefois le Comité de Coordination pourra décider de son maintien sous réserve que l'autorisation de continuation de l'exploitation soit accordée conformément aux dispositions de l'article 24 de la loi du 13 juillet 1967 et que le délai de continuation de l'exploitation s'étende au-delà de la tenue du salon et d'une durée suffisante pour justifier la participation de la firme au salon et le respect des engagements qu'elle y aurait pris.
Dans le cas du rejet de l'adhésion, celui-ci ne pourra donner lieu au paiement d'aucune indemnité autre que le remboursement des sommes versées à l'administration du salon.
En cas de location gérance consentie en application des dispositions de l'article 27 de la loi du 13 juillet 1967, le locataire gérant devra présenter sa (nouvelle) demande d'admission au Comité; l'acceptation sera soumise aux conditions générales et particulières de participation du salon.

#### B 3 - sous-location
Il ne peut être présenté par un exposant sur son stand que les articles indiqués sur son bulletin d'adhésion en accord avec le Commissariat Général. Peuvent également être admis, pour compléter une présentation, et après autorisation du Commissariat Général, les objets régulièrement présentés par d'autres exposants d'accord sur ce point.
La sous-location étant interdite, le Commissariat Général a tout pouvoir pour retirer du Salon tout article appartenant à une maison ou à une personne qui serait sous-locataire d'un exposant.

#### B 4 - vente aux particuliers et vente à emporter
La vente aux particuliers et la vente à emporter sont rigoureusement interdites. Tout exposant enfreignant ce règlement sera exclu du Salon sans qu'il puisse revendiquer un quelconque remboursement des sommes versées pour sa participation.

### C - application du règlement

Toutes les mesures que le Commissariat Général sera obligé de prendre pour assurer l'observation des règlements, des décisions du Comité de Coordination et des prescriptions qu'il aura édictées en raison de l'autorité qui lui est conférée, seront exécutées entièrement aux frais, risques et périls des exposants qui les auront provoquées. Aucun recours ne pourra être exercé contre lui ni contre l'(ou les) entité(s) juridique(s) promotrice(s) de la manifestation ni contre le Comité Français des Expositions, quel que soit le préjudice matériel ou moral subi de ce chef.

En cas de contestation, les Tribunaux du siège de l'organisateur sont seuls compétents, le texte en langue française du présent règlement faisant foi.

## 8. inscription au catalogue officiel

Le catalogue officiel comprend : /A. une liste alphabétique des exposants / B. une liste des produits exposés

### A. liste alphabétique des exposants

La liste alphabétique comprend, outre le nom, l'adresse, le téléphone et le télex de l'exposant, un texte de quelques lignes variant selon la surface du stand (3 lignes jusqu'à 20 m², 4 lignes au dessus de 20 m² et jusqu'à 60 m², 5 lignes au dessus de 60 m²) et donnant l'énumération ou les caractéristiques des appareils ou produits exposés (à remplir obligatoirement à la machine)

_____

_____

_____

_____

_____

_____

_____

_____

**B. liste des produits exposés**

Cocher sur l'annexe A la case correspondant aux catégories d'articles effectivement exposés à l'exclusion de ceux que l'exposant fabrique ou est susceptible de fournir mais qui ne font pas partie de sa présentation au salon.

## 9. description des stands

les stands comprendront :

- un plancher nu
- des cloisons d'une hauteur de 2,50 m (2,75 m dans la section cuisine)
- un revêtement de cloison (toile de jute décreusée)
- une enseigne (sauf pour les stands ouverts sur 4 côtés)

**Le Salon International Professionnel des Arts Ménagers comptera les 5 sections suivantes :**

- ménage
- petit électroménager
- gros électroménager-encastrable
- cuisine - salle de bains
- chauffage

## 10. desiderata (surface minimum 9 m² - 3.00 m x 3.00 m)

SURFACE DU STAND : _____ m² | dimensions : _____

caractéristiques du stand souhaité : _____

_____

_____

_____

_____

_____

**important :**
pour être pris en considération le présent contrat devra être dûment rempli et obligatoirement accompagné du **premier versement règlementaire,** et d'une **documentation** (1 exemplaire) concernant les produits qui devront être exposés.

## 11. engagement

Nous nous engageons à occuper au Salon International Professionnel des Arts Ménagers de 1987, sous réserve d'admission par le Comité de Coordination, et pour exposer uniquement les articles décrits ci-dessus, l'emplacement proposé.

Nous déclarons adhérer sans réserve aux conditions d'admission (§ 7), au règlement particulier du Salon et au règlement général de la F.S.S. dont nous avons pris connaissance. En outre nous certifions exacts les renseignements donnés sur le présent contrat de participation.

date _____      nom du signataire _____

cachet de l'entreprise                                        signature

## Assignment 5

*Brief*

You work for ERCOL in High Wycombe. You are Ercol's Sales Manager for French speaking countries and have received a memo from your agent, Monsieur TOSSER. He has sent you three press cuttings (see p. 135).

*Task 1*

Translate the memo from the company directors.

*Task 2*

Check that he has included in his memo all the essential information from the press cuttings.

*Task 3*

Write a telex to the agent, Monsieur TOSSER:

—thank him for his memo concerning "GAUTIER"

—ask him if he could find out if there is a possible buyer for Gautier's assets. You would like to be kept informed of future developments.

—ask if there is any truth in Patrice Gautier's assessment of the European market for furniture.

# ERCOL
**Departmental Memo**

To    M.D

From  Tosser

Date  5/4/8.

cc.    Ribette

INFORMATION

Le Group de Compagnies "GAUTIER" (2600 personnes employées)
leader européen de mobilier pour enfants, et également fabricant de meubles rustiques, vient d'arrêter son activité d'une
façon légale, avant une éventuelle liquidation.
La raison donnée est: effondrement du Marché du Meuble en France
et en Europe.
Cette Compagnie avait signé avec le Gouvernement un contrat de
solidarité, prévoyant de maintenir un emploi pléthorique, et
tendant à réduire le temps de travail à 35 heures par semaine .....
Elle avait reçu de l'Etat Français une aide de 2.500.000 St.
sans résultat.

## Gautier va déposer son bilan

Le P.-D.G. du groupe Gautier, premier fabricant européen de meubles pour enfants (2500 salariés) a indiqué que son entréprise, placée depuis lundi sous administration judiciaire, devrait déposer son bilan prochaine-ment.

Patrice Gautier a déclaré qu'il *a s'était résigné à se placer sous une tutelle judiciarire, cette situa-tion devant entrainer un dépôt de* bilan » en raison de difficultés dues à « *l'effondrement du mar-ché du meuble en Europe et en France* » Il a indiqué qu'il n'avait pas pu obtenir à temps l'aide né-cessaire des pouvoirs publics.

Le P.-D.G. devrait donner des précisions la semaine prochaine sur le plan de restructuration en-visagé. Dans les milieux syndi-caux, on estime à six cents le

## REPERES

**MEUBLE:** Gautier dépose son bilan. Le No.2 de la profession en France (2 600 salariés, 700 millions de d'affaires) n'a pu éviter la tutelle judi-ciaire. L'effondrement du marché du meuble a provoqué un gonflement de ses stocks. La firme vendéenne avait enregistré un développment rapide — trop rapide? — grâce, en particulier, à la reprise d'affaires en difficulté. A son tour ébranlée, elle avait récemm-ent connu la restructuration. En vain Gautier avait signé un contrat de sol-idarité, prévoyant de ramener les horaires hedomadaires à tente-cinq heures en contrepartie d'une aide de l'Etat de 25 millions de Francs.

## GAUTIER : AJUSTEMENT DE LA PRODUCTION A LA DEMANDE DU MARCHÉ

Comme prévu, les quatre so-ciétés industrielles du Groupe Gautier ont déposé leur bilan pour pouvoir conserver leur ac-tivité, avec des effectifs mieux ajustés aux carnets de comman-de. Il s'agit de:
— Gautier S.A., le 25 mars (269 licenciements);
— La Belinoise, le 25 mars (138 licenciements);
— Aranjou (plan le 31 mars) et Eguizier (plan le 29 mars). En tout le Groupe, qui em-ployait 2800 personnes, dont 300 à l'étranger, va devoir re-noncer à plus de 700 personnes.

C'est un drame dans une ré-gion où il sera très difficile de recaser. Mais les délégués syn-dicaux, bien conscients de l'ind-térêt supérieur de l'entreprise et de la préservation nécessaire des autres emplois, ont soun'enu les plans de restructurati l'ensemble du personn tant s'est remis d lovreer sans en cour